웃음펀치 연극대본

웃음펀치 연극대본

발 행 | 2024년 08월 01일
저 자 | 콩트
펴낸이 | 한건희
펴낸곳 | 주식회사 부크크
출판사등록 | 2014.07.15.(제2014-16호)
주 소 | 서울특별시 금천구 가산디지털1로 119 SK트윈타워 A동 305호
전 화 | 1670-8316
이메일 | info@bookk.co.kr

ISBN | 979-11-410-9844-5

www.bookk.co.kr

Culture Creator 콩트 지음

차 례

교실연극 대본 집필을 시작하며

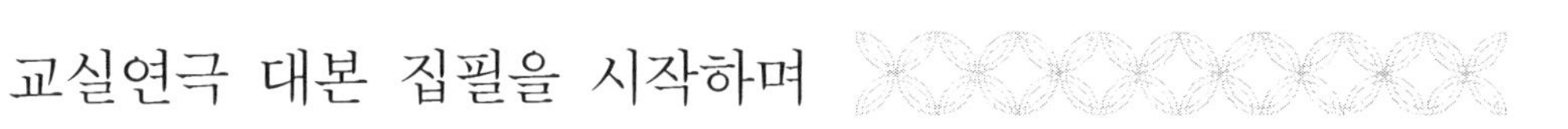

한류문화의 열풍 속에는 그 열풍을 주도한 인재들이 있으며 그 영광의 그늘 뒤에는 이들의 꿈과 능력을 크게 키워준 참스승들이 있었음을 기억해야 한다. 이들은 어려운 상황 속에서도 어린 학생들의 미래를 내다보고 그들을 꾸준히 가르치고 응원해왔다. 아무도 주목하지 않지만 멀리 내다보고 영광의 미래를 만들어준 그들이야말로 한류 열풍의 진정한 영웅이 아닐까 생각해본다.

이제 우리는 또다시 우리의 상상을 뛰어넘을 미래사회의 모습으로 눈을 돌려 멀리 바라봐야 한다. 현시점에서 K-콘텐츠의 인기를 바라보며 미래사회에서 우리가 무엇을 가치 있고 귀한 것으로 여기게 될 것인지 생각해보자. 많은 부분을 인공지능에 의존하게 될 미래사회에서 우리에게 가장 가치 있는 것이 있다면 단언컨대 그것은 인간의 '상상력' 일 것이다.

물론 인공지능이 어느 정도의 속도로 인류의 자리를 대체해 나갈지 알 수 없지만, 인류 정체성의 마지막 보루는 '상상력'이 될 것이 분명하다. 상상력은 그림이 되고 음악이 되고 이야기가 되고 이야기는 책이 되고 대본이 되며, 다시 그림과 음악 그리고 이야기가 어우러져 하나의 공연이 되고 영화가 되어 이러한 과정에서 만들어진 수많은 산물들이 서로 공유되면서 비로소 인류의 문화가 된다. 그리고 그 문화의 힘이 또다시 우리의 상상력을 자극하고 그렇게 인류 문화의 쳇바퀴는 유구한 세월을 순환하면서 발전해 간다. 그러므로 상상력은 인류문화의 근원이며 인류의 정체성 그 자체라고 해도 과언이 아니다.

부끄럽지만 교실연극 대본 집필의 첫 작품을 내놓게 되었다. 미약한 힘이나마 이 작품들이 우리 아이들에게 상상력이라는 씨앗을 키워줄 수 있는 하나의 작은 마중물이 되어줄 것을 기대해 본다.

- *Culture Creator Conte*

블로그 http://blog.naver.com/ccconte

연락처 ccconte@naver.com

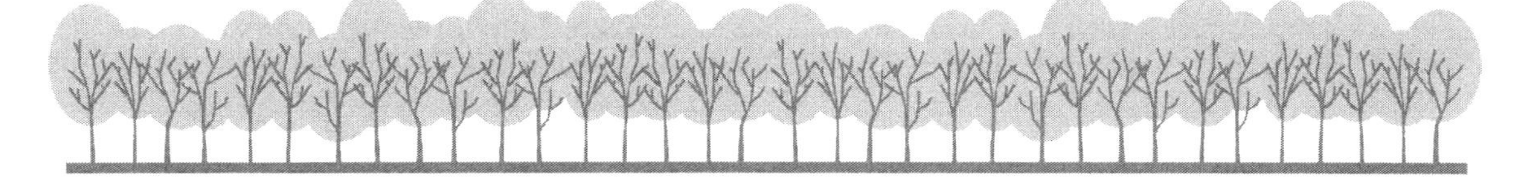

웃음펀치가 뭐야?

웃음펀치 연극 대본은 10분 내외 분량의 짤막한 콩트식 연극이다. 내용 속에는 은밀하게 배어든 교훈들과 함께 흥겨운 웃음 요소들을 넣어 학생들이 연극에 대한 흥미와 재미를 충분히 느낄 수 있도록 구성했다. 흥겨운 웃음과 함께 펀치처럼 짤막한 충격으로 마음속에 생각거리와 교훈을 심어주는 그런 연극 대본이 되었으면 한다. 조금 느리겠지만, 1탄을 시작으로 지속적으로 추가 대본을 공개해 나갈 계획이며, 일부 대본들은 동화책으로도 제작해보고자 한다. 이번 1탄 부록에는 학예회용으로 쓸 만한 22분 분량의 연극 대본을 참고작품으로 첨부해 보았다.

어디에서 사용할까?

세상에는 수많은 연극 대본이 존재하지만, 웃음펀치 연극 대본은 20평 남짓의 작은 공간인 학교 교실에서 이루어지는 작은 연극을 지원하고자 한다. 이 대본은 초등학교 5~6학년 학생 수준에 맞춰져 있으므로 초등학교 고학년 교실에서 활용하기를 권장한다. 하지만 일부 대본은 중학교 1~2학년에서도 적절히 활용될 수 있다. 초등학교 5~6학년은 이야기 속 깊은 의미를 탐색하고 이해하기 시작하는 시기이다. 비록 이야기를 창작하는 실력은 아직 미숙하지만, 책이나 미디어를 통해 접하는 복잡한 이야기의 전개나 그 속에 담긴 의도를 파악하는 능력은 약간의 설명만 덧붙여주면 어른과 비교해도 크게 부족함이 없다.

언제 활용하면 좋을까?

웃음펀치 연극 대본의 활용에 대해서는 다음의 구체적인 예시를 통해 각자에게 맞는 상황을 연상해보자.

1. 도덕 시간에 예화 자료로서 도덕적 상황이 포함된 연극을 보여줄 때
2. 국어 · 도덕 · 사회과 학습주제를 통합하여 이와 관련된 연극을 모둠별로 준비해서 상연해보고자 할 때
4. 수업 주제와 맞는 연극 대본 하나를 정해서 앞부분의 내용만 제시하고 모둠별로 뒷부분을 꾸며서 상연해보고자 할 때
3. 국어과 연극 단원을 지도하면서 반 학생들을 3~4모둠으로 나누고 각기 다른 연극을 꾸미고자 할 때
4. 동아리 활동으로 연극부를 운영하면서 몇 개의 모둠으로 나누어 연극 공연을 하고자 할 때
5. 교실 학예회 프로그램 순서에 개그나 연극 코너를 넣어 생기와 재미를 끌어올리고자 할 때
6. 수업 장학이나 학부모 공개수업에서 선생님의 교수활동보다는 학생 활동을 최대한 보여주고 싶을 때

걸림돌은 어떻게 극복할까?

학교에서 연극 수업을 진행할 때 가장 큰 걸림돌이 되는 것은 바로 '시간'이다. 대본을 보고 즉석에서 진행하는 역할극이 아니라면 연극은 대사 외우기와 연습의 시간이 필수적이다. 아무리 짧은 분량의 대본이라고 해도 대본 외우는 일은 만만치 않은 일이다. 매일 학원 숙제에 지쳐있는 요즘의 학생들에게는 더더욱 그렇다. 그래서 처음부터 대본을 손에 들고 계속 보면서 연습하고, 공연 때에도 연습 때와 같이 대본에 의지해서 연극을 진행하는 경우가 많지만, 연극의 재미는 반감되고 만다.

10분 내외 분량의 대본을 연습하기 위해서는 적어도 2주의 기간이 필요하다. 학생들에게 2주 동안 매일 1시간 정도의 연습 시간을 확보해주려면 어떻게 해야 할까? 여러 교과를 하나의 주제로 통합하여 지도하는 방법이 그 해결책이 될 수 있다. 예를 들어 '인권'을 주제로 교과를 재구성하여 통합한다면 도덕과 사회의 인권 관련 단원을 하나로 묶고 국어의 연극 단원 또한 인권을 주제로 연극을 꾸며보는 것으로 기획할 수 있다. 또한 미술 시간을 활용해서 색종이나 색상지로 간단한 소품을 제작해 볼 수도 있으며 만든 소품을 연극 연습에 사용해 보면서 시간을 확보할 수도 있다.

연극 수업에 있어서 두 번째 걸림돌이라고 한다면 바로 '공간'일 것이다. 반 학생 모두가 참여하는 학예회 연극이 아니라면 연습 공간의 부재는 연극 수업에 있어서 매우 큰 장애가 된다. 보통은 교실 공간을 몇 등분으로 나누고 모둠별로 최대한 흩어져서 연습하는 경우가 많은데 서로 간섭이 있어서 갈등이 생기거나 다른 모둠에게 연극의 내용이 노출되어 김 빠진 연극이 되기도 한다. 빈 교실이 많아서 연습을 위한 충분한 공간이 있다고 할지라도 모둠별로 다른 공간에 흩어놓은 경우에는 통제의 문제를 고민하지 않을 수 없다. 교사가 철저한 사전 지도를 하고 순회하면서 적절히 지도하는 경우도 있지만 그러려면 연극에 대한 교사의 적지 않은 열정과 희생이 필요하다. 이를 해결하기 위해 실외를 이용하는 방법도 있는데 학교 울타리 안에서 그늘지고 안전한 곳을 선정해서 어느 정도 거리를 확보하고 연습할 수 있도록 하는 것이다. 이 경우에도 날씨와 계절적 제약이 따르지만 그나마 이 방법이 최선이다. 그러므로 교육과정을 기획하는 단계에서부터 시기를 잘 고려해서 연극 수업을 계획하는 것이 중요하다.

진로, 긍정적인 마음, 존중, 다양성, 자신감, 자긍심, 장애 이해

느림보 거복이

♣ 공연 시간 약 8분 / 참여인원 6명 / 작가 : 콩트 blog.naver.com/CCconte

때 : 오늘날

곳 : 어느 학교

등장인물 : 이거복, 박기토, 고도치, 지다람, 선생님, 해설자

[음향 : 01 밝고 경쾌한 음악]

연극이 시작되면 해설자가 무대에 등장한다.

해설자 : 안녕하세요. 저는 오늘 여러분에게 느림보 거복이라는 이야기를 들려드릴게요. 재미있게 보시고 박수 많이 부탁드려요~

해설자가 무대 가장자리 한쪽으로 옮겨서 선다.

해설자 : 옛날 아주 먼 옛날이 아니고 오늘날! 느림보 거복이가 살고 있었어요. 느림보 거복이는 동물이 아니고 사람인데 느려도 너무 느렸어요.

박기토와 지다람이 서로 이야기를 나누면서 무대로 나온다.

박기토 : (화난 표정으로) 아니~ 느려도 정도껏 느려야지. 이건 너무 심하잖아.

지다람 : (맞장구치며) 거복이 때문에 우리반 이번 이어달리기는 완전히 망했어. 꼴등이 뭐냐, 꼴등이...

박기토 : 거복이가 다른 반이었으면 이런 일도 없었을 거 아니야.

지다람 : 전학이라도 가버렸으면 좋겠다.

느린 음악과 함께 거복이가 아주아주아주 천~~~~천히 무대로 걸어 나온다.

[음향 : 02 매우 느린 음악]

박기토 : (고개 돌려 거복이를 발견하고는) 야! 온다온다!

지다람 : (거복이를 한참 지켜보다가) 와~ 속 터진다. 완전 느려.

해설자 : (거복이가 너무 느려서 해설자도 박자를 못 맞추며) 잠시 후...... 거복이가..... 나타.... 아니 아직이네~ 나타..나타.. 드디어 나타났어요.

잠시 후 거복이가 무대 한가운데로 와서 기토와 다람이에게 인사한다.

이거복 : (손을 천천히 들고 아주 천천히 웃어 보이며 느린 말투로) 애~~들~~아~~~~~~~~~~ (숨쉬고) 굿~~~~모~~~~닝??

박기토 : 굿모닝?? 너 때문에 화가 나서 아주 죽겠는데 굿모닝이냐?

이거복이 아주 고개를 들어 박기토를 한참 바라본다.

이거복 : 그........... 그.......... 그............

박기토와 지다람이 이거복의 말이 나오기를 기다리느라 고통스러운 표정으로 몸을 비틀어 꼬면서 괴로워하고 몸부림친다.

박기토 : (쏘아붙이듯이) 그 뭐!!

이거복 : 그.......................

박기토와 지다람이 또 고통스러운 표정으로 머리를 움켜잡고 답답해한다.

지다람 : (가슴을 치면서) 아이고 답답해 죽겠네. 빨리 말해봐!

이거복 : 굿~~~ 이~~~브닝~~

박기토 : 뭐가 굿 이브닝이야! 아직 아침인데!!

지다람 : 야! 기토야! 여기를 뜨자. 쟤랑 같이 있으면 오래 못 살 것 같아.

박기토 : 그래! 죽기 전에 어서 튀자.

해설자 : 박기토와 지다람은 정말 죽을 것 같아서 도망갔어요.

지다람과 박기토가 무대 바깥으로 재빨리 사라진다.
이거복은 박기토와 지다람이 사라진 방향으로 천천히 고개를 돌려 한참 동안 물끄러미 바라본다. 관객석 주위가 완전히 조용해질 때까지 계속 바라보고 있다.

이거복 : (지다람과 박기토가 사라진 방향으로 한참을 물끄러미 바라보고 있다가 주위가 조용해지면) 잘~~~~가~~~~~

이거복은 천천히 고개를 돌려 관객석을 물끄러미 바라보며 두 눈을 크게 뜨고 느리게 껌뻑껌뻑거린다.

이거복 : (관객석을 한참 바라보고 있다가 조용해지면 관객들에게 느리게 손을 흔들고 웃으면서) 굿~~~~모~~~~닝~~~~~~

해설자 : 이때, 이거복의 절친인 고도치가 나타났어요.

고도치가 신나게 무대로 등장한다.

고도치 : (이거복을 발견하고는) 어! 여기 있었네. 한참을 찾아 헤맸는데.

이거복이 고도치 쪽으로 천천히 고개를 돌린다.

고도치 : (머리털 침을 하나 뽑는 시늉을 하면서) 너는 내 따끔한 침을 맞아야 몇 분 동안이라도 행동이 빨라져.

고도치가 뾰족한 머리털 침을 이거복 머리에 찌르는 시늉을 한다.

이거복 : (깜짝 놀라서 갑자기 행동이 빨라지며) 앗! 따끔해! 화~~ 니 털은 맨날 맞아도 적응이 안돼.

고도치 : 그래도 나 때문에 멀쩡하게 사는 줄 알아~ 내 털침 아니면 넌 이제서야 나한테 (거북이 흉내를 내며) 굿~모~닝~~~ 했을 거 아니야!

이거복 : 그러게. 난 행동이 느려도 너무 느려. (고개를 숙이고 머리카락을 움켜 잡으며) 아무래도 난 쓸모없는 사람인가 봐.

고도치 : 그렇다고 그렇게까지 비관하고 그러냐! 내가 옆에서 도와줄 테니까 걱정마.

머리카락을 움켜쥐고 고개를 숙이고 있던 이거복이 아주 천~~~~천히 들면서 고도치를 바라본다.

이거복 : (고도치를 한참 바라보다가) 고~~~마~~

이때, 고도치가 머리털 침을 뽑아서 이거복의 머리에 찌르는 시늉을 한다.

이거복 : (고도치의 털침을 맞고 행동이 갑자기 빨리지며)워! 네가 있어서 정말 든든해.

고도치 : 내 머리털 침도 이제 효과가 점점 떨어지나 봐. 두 대는 맞아야 효과가 있네~

해설자 : 수업이 시작되고 선생님께서 수학책과 바둑알을 들고 나타나셨어요.

선생님이 수학책과 바둑알을 들고 무대로 등장한다. 그 뒤로 박기토와 지다람이 따라 들어온다.

선생님 : 자자자! 오늘은 수업 시간에는 바둑알로 분수 소수의 개념을 익힐 거예요.

선생님이 무대의 한쪽에 서고 학생들이 선생님을 바라보고 섰다.

선생님 : (바둑알 주머니를 들어 보이며) 자! 여기 바둑알이 있죠?

선생님이 갑자기 바둑알 주머니를 떨어뜨린다.

이거복 : (갑자기 늠름하고 자신 있는 말소리로 크게) 삼십오!!!

선생님 : (바둑알 주머니를 주워들고 이거복의 얼굴을 뚫어져라 쳐다보며) 거복이 뭐라고 했어?

이거복 : (선생님을 똑바로 바라보면서) 삼십오!!

선생님 : 너 혹시...바둑알의 갯수를?

이거복 : 오늘 방구 뀐 횟수!

선생님과 아이들이 코를 잡고 이거복으로부터 멀어진다.

선생님과 아이들 : 아이!! 뭐야!! 냄새~~!!

선생님 : (바둑알 주머니를 열어서 보더니) 어!! 그런데, 바둑알 35개가 맞았어. 아무래도 이상한데~?

선생님이 거복이를 심각한 눈으로 바라본다.

선생님 : (바둑알 주머니를 내려놓고 갑자기 수학책을 급히 펴들더니 거복이를 뚫어져라 바라보고) 3244 곱하기 27은?

이거복 : (당당하고 거침없이) 8만8천6백8십8!!
[음향 : 03 미스테리 음악]

아이들 : 와! 대단하다~~!!

박기토 : 저걸 어떻게??

선생님 : (놀라는 표정으로 손을 떨면서 수학책을 넘기고 다시 거복이를 바라보면서) 5426 곱하기 45는?

이거복 : (눈을 지그시 감으며 더 빠르고 큰 목소리로) 2십3만3천4백4십5!!

아이들 : 와~~!!

지다람 : (놀랍고 신기하다는 투로) 선생님! 거복이가 천재였어요~~!!!

해설자 : 이거복은 문제를 하나도 맞추지 못했어요.
[음향 : 04 염소울음]
선생님 : (눈을 동그랗게 뜨고 놀라는 표정을 짓다가 갑자기 실망하면서) 야! 뭐야? 다 틀렸어~~
아이들 : 에이~~~~~!!

선생님 : 거복이는 왜 맞추는 척 멋지게 말하고 그러냐?

박기토 : 거복이가 그러면 그렇지 뭐.

지다람 : 야~ 괜히 쫄았다. 우리반 느림보 거복이가 어련하겠어.

박기토 : 그러게~ 잠깐 기대했던 내가 바보다.

지다람 : 그러니까 말이야.

박기토,지다람 : 하하하

고도치 : (박기토와 지다람을 째려보며) 야! 사람 무시하지 마. 그래도 거복이는 너희들이 모르는 잠재력이 아주 많은 아이야.

박기토 : 잠재력? 그거 잠자는 능력이냐?

박기토, 지다람 : (엄청 깔보면서) 하하하하하

해설자 : 이때 선생님의 휴대전화가 마구마구 울렸어요.
[음향 : 05 스마트폰 벨소리]
갑자기 선생님 휴대전화 벨소리가 울린다.

선생님 : (휴대전화를 받으면서) 여보세요~?.......네!
네!.......네???????.......아네!!!!....
아~~~~아~~~ 알겠습니다.

박기토 : 선생님 뭐예요?

선생님 : 야~ 이게 무슨 일이냐? (거복이를 보면서) 거복아!
이거복 : 네?

해설자 : 거복이가 무슨 큰 일을 저질렀나 봐요.

선생님 : 거복이 너 이번 전국 수영대회 초등부 대표로 선발되었다는데?

고도치 : 거봐~ 거복이는 잠재력이 있다고 내가 말했잖아~

이거복이 많이 놀란 듯이 갑자기 몸이 굳어져서 그대로 서있다.

선생님 : (거복이가 아무 움직임이 없자 답답한 듯이) 이거복!! 너 전국 수영대회 초등부 우리지역 대표로 선발되었다구~~ 안 좋아?

이거복 : (넋이 나간 듯이 아무 표정 없이 천천히 관중석 쪽으로 움직여서 다가가더니 손을 들어서 팔꿈치로 찍어내리듯 아주 천천히) 아~~~~싸~~~~!!!

모든 사람들이 환호성을 울리고 박수를 치며 격려해준다.
[음향 : 06 축하 팡파레]
해설자 : 사람은 누구나 단점이 있지만, 그에 못지 않은 장점을 가지고 있어요. 자신이 가진 재능이 무엇인지 알고 그 장점을 크게 키워주면 성공한 인생을 살아갈 수 있는 거예요. 여러분도 자신의 장점이 무엇인지 잘 살펴보세요.
[음향 : 07 느린아이 동요]

고도치가 웃으면서 이거복에게 달려가서 머리털로 여러 번 찔러댄다. 아이들이 이거복에게 달려나가 거복이와 악수를 하거나 거복이의 머리를 쓰다듬거나 거복이의 등과 어깨를 다독여 주며 칭찬하는 듯한 행동을 한다.
이거복은 고맙다는 듯이 웃음으로 인사한다.

구두쇠, 선행, 나눔, 개인정보 보호

왕고집전

♣ 공연 시간 약 10분 / 참여인원 6-7명 / 작가 : 콩트 blog.naver.com/CCconte

때 : 오늘날

곳 : 어느 마을

등장인물 : 왕고집, 왕고집 아내, 왕고집 어머니, 나눔복지재단 원장, 가짜 왕고집, 사또, 이방

[음향 : 01 연극 시작 풍물 소리]

극이 시작되면 왕고집 아내가 걸어 나와서 무대의 중앙에 서서 관중을 둘러보며 천천히 이야기한다.

왕고집 아내 : 어느 마을에 '왕고집'이라는 아주 큰 부자가 살고 있었습니다. 왕고집은 병든 어머니를 모시고 아내와 함께 살고 있었지요. 그런데 왕고집은 욕심이 많고 성질이 더러워서 나쁜 짓만 일삼는 그런 사람이었습니다. 그러던 어느 날이었습니다.

무대 왼쪽에서 코 왼쪽에 커다란 점이 달린 왕고집이 담뱃대를 들고 어슬렁어슬렁 걸어서 등장하더니 왕고집 아내에게 다가와서 이상하다는 듯이 얼굴을 쳐다본다.

왕고집 : (아내를 이상하다는 듯이 쳐다보며) 시방 대낮부터 허공에다 대고 뭔 헛소리하는 거여? (관객석 쪽을 가리키며) 여기 앞에 누가 있어?

왕고집 아내 : (왕고집을 바라보고 어색하게 웃어 보이며) 아뇨~ 그냥 심심해서 연기 연습을 좀 했는데요... (머리를 긁적인다.)

왕고집 : (인상을 찌푸리며) 밥 먹고 할 짓이 없나? 연기는 뭔 놈의 얼어 죽을 연기야? (목소리를 높여서) 할 일 없으면 방에 들어가서 잠이나 자!

왕고집 아내 : 아니! 영감~~ 아까 보니까 어머님께서 요즘에 기침도 많이 하시고 몸에 힘이 없으셔서 닭이라도 한 마리 해드려야 할 것 같은데..

왕고집 : (갑자기 아내를 보고 눈이 휘둥그레지며) 뭐? 닭 한 마리?

왕고집 아내 : 네, 어머님께서 기운을 좀 차리셔야 할 것 같아서...

왕고집 : 이 사람 정말 제정신으로 하는 말인가? 닭 한 마리가 얼만데....

왕고집 아내 : 그럼 병아리라도 한 마리....

왕고집 : 이 사람이 정신 못 차리네~ 병아리가 커서 닭이 되는 거야.

왕고집 아내 : 그럼 달걀이라도...

왕고집 : 이 사람이 정말 답답한 소리만 하네~ 달걀이 부화하면 병아리가 되고 그 병아리가 커서 닭이 되고 그 닭이 커서 양념치킨이 되고 그 양념치킨을 팔아서 2만원이 되는 거야. 달걀을 그냥 홀라당 먹어버리면 내 돈 2만원은 어쩔 거야? 응?

왕고집 아내 : (표정이 차가워지며 입맛을 다시듯) 참~ 대~단한 구두쇠 나셨네요. (무대에서 퇴장하면서) 아이고~ 영국의 스크루지 할아버지 뺨치겠네. 뺨치겠어.

왕고집 아내가 어이없다는 표정으로 퇴장한다.

왕고집 : (퇴장하는 아내의 뒷모습을 빈정거리는 듯한 표정으로 바라보며) 어디 땅 파봐라 돈 나오나! 아껴야 잘살지.
(조심스러운 표정으로 사방을 두리번거리더니 호주머니에서 돈다발을 꺼내어 들고 음흉한 표정으로 웃더니 돈다발을 세어보기 시작한다.) 히히! 하나.. 두울... 세엣.... 네엣....

왕고집이 돈다발을 세고 있는 동안 초인종 소리가 울린다.
[음향 : 02 현관 초인종 소리]

왕고집 : (급하게 돈다발을 호주머니에 감추고 무대 오른쪽을 바라보며) 거 누...누... 누구요?

무대 오른쪽에서 나눔복지재단 원장이 해맑게 웃으면서 등장한다.

원장 : (왕고집을 보고 반가운 표정으로 웃어 보이며) 아이고~~ 왕사장님 안녕하셨습니까?

왕고집 : (매우 당황스러운 표정을 지으며 애써 원장의 눈길을 외면하면서 헛기침을 한다.) 어허허험~ 허험!!

원장 : 사장님, 요즘 중국 쪽 사업하시는 것도 잘 되시고, 부동산 투자하신 것도 대박이 나셨다고 하던데 정말 축하드립니다.

왕고집 : (두 눈이 휘둥그레져서) 아니, 누가 그래요? 대박 났다고?

원장 : 아 어제 JTBS 뉴스에 사장님 사업 대박 소식이 나와서 다 알고 있습니다.

왕고집 : (짜증 나는 듯한 표정으로) 아, 요즘 뉴스 그걸 어떻게 믿나? 다 가짜 뉴스야. 믿지 마.

원장 : 사장님, 저희 나눔복지재단은 가난한 아이들에게 후원금을 전달하고 걱정 없이 살 수 있도록 돌보고 있습니다. (왕고집의 눈치를 살피며) 이번에 큰맘 먹고 기부 좀 하시지요.

왕고집 : 뭐요? 기부? 기부???? 저번에 한 번 혼나고도 정신을 못 차렸구만. 이번에 큰맘 먹고 다리에 기부스 좀 하실래요? 원장님.

원장 : 아이고 왜 이러십니까? 좋은 일 하자고 그러는 건데 이러시면...

왕고집 : (바닥에 떨어져 있던 몽둥이를 집어든다.) 어느 쪽 다리에 기부스 해드릴까? 왼쪽? 오른쪽?

원장 : (뒷걸음으로 재빨리 무대 밖으로 도망가며) 아 진짜 너무하네. 돈 많으면 뭐하냐. 인성이 완전 쓰레기구만.

왕고집 : (몇 걸음 쫓아가며) 저걸 콱~!! 다시는 오지마라. 퉤!!

[음향 : 03 장구 소리]

왕고집이 다시 주머니에서 돈다발을 꺼내 들고 크게 만족스러운 모습으로 돈을 세면서 무대 밖으로 퇴장한다. 잠시 후, 퇴장했던 원장이 코 왼쪽에 커다란 점이 달린 가짜 왕고집을 데리고 무대로 등장한다. 가짜 왕고집은 원장의 손에 이끌려 멍한 표정으로 따라 나와서 무대의 중앙에 선다.

원장 : (가짜 왕고집을 바라보면서) 내가 큰맘 먹고 하나 장만했다. 인조인간 AI 로봇! 아주 똑같이 닮았어. 어디 실험 한 번 해볼까? (가짜 왕고집에서 물어보며) 너의 이름은 뭐냐?

[음향 : 04 로봇 소리]

가짜 왕고집 : (무표정한 모습으로) 저는 인공지능 챗지피티를 발전시킨 최신 모델 '퉷치피튀'입니다.

원장 : 뭔 이름이 그따구냐? 퉷치피튀??

가짜 왕고집 : (원장 얼굴을 향해서서 바르게 서며) 네! 퉷!!! 퉷!!! 퉷! 치! 피! 튀! 요

원장 : (표정을 찡그리고 얼굴에 묻은 침을 닦아내는 시늉을 하며) 야! 이름이 좀 척척하다. 아주 지저분해. 내가 너의 주인으로서 지금부터 새로운 이름을 지어주겠다.

가짜 왕고집 : 네!

원장 : 너의 이름은 지금부터 '왕고집'이다. 왕고집이 쓰고 버린 핸드폰을 해킹해서 너의 두뇌 회로에 왕고집에 대한 여러 가지 정보를 담아두었다. 그러니 왕고집의 집에 침투해서 왕고집을 혼내주거라! 알았나?

가짜 왕고집 : 네! 알겠습니다!

[음향 : 05 사건의 시작]

원장은 가짜 왕고집의 손을 잡고 무대의 오른쪽으로 퇴장한다.
잠시 후 무대 중앙에 사또와 이방이 등장하고 그 뒤로 왕고집의 아내와 어머니가 무언가 사또에게 말하면서 따라 들어온다. 사또는 손에 들고 있는 부채를 관중석 쪽으로 향해서 걸어 나온다. 부채에는 '몇 시간 뒤'라는 글자가 적혀 있다.

왕고집의 아내 : (무대 중앙 쪽으로 같이 걸어 나오면서 사또를 바라보고 계속 말한다.) 사또님, 그렇게 돼서 지금 집안이 난리가 났습니다. 어떻게 이런 일이 다 있는지...

왕고집의 어머니 : (걱정이 가득한 얼굴로 사또를 바라보면서) 내 80평생을 살면서 이런 일은 처음이라오... 우야믄 좋노?

사또 : (매우 피곤한 표정으로) 아, 그러니까 댁에 지금 '왕고집'사장이 하나가 아닌 둘이나 있다는 것 아닙니까? 그걸 믿으라는 겁니까?

왕고집의 어머니 : 그렇다니까요.

왕고집의 아내 : 아주 똑같이 생겨서 누가 진짜인지 알 수가 없어요.

사또 : (매우 난처한 표정으로) 어허... 참으로 괴상한 일이로구나.
(이방을 바라보며) 여봐라~~!! 냉큼 왕고집을 들라 하라!!!

이방 : 네~ 사또~ (무대 바깥쪽을 바라보며) 냉큼 왕고집을 들라 해라~

무대 안쪽에서 왕고집과 가짜 왕고집이 서로 멱살을 잡고 서로 티격태격 몸싸움을 하면서 등장한다.

왕고집 : (가짜 왕고집을 바라보며) 야, 가짜야 물러가라. 얼굴도 못생긴 게

가짜 왕고집 : (왕고집을 바라보며) 야, 너야말로 물러가라. 성질도 더러운 게.

이방 : (꾸짖듯이) 어허~~ 시끄럽다. 입 다물라!! 어느 안전이라고 요것들이...

왕고집 : (억울하다는 표정으로 울먹이듯이) 사또~~ 억울하옵니다. 이 가짜가 갑자기 나타나서 자기가 진짜라고 우겨대니 정말 답답하고 답답합니다.

가짜 왕고집 : (역시 억울하다는 표정으로) 사또~~ 억울한 것은 저입니다. 잠시 동네에 다녀왔더니 이놈이 자기가 왕고집인 척하면서 집에 몰래 들어와 있었습니다.

사또 : 아니 어쩜 이렇게 똑같이 생겼느냐? 생김새를 봐서는 전혀 가려낼 수가 없구나.

이방 : 그렇다면 진짜라는 증거를 각자 대보도록 하면 어떨까요? 사또~

사또 : 그래 그게 좋겠다. 자신이 진짜라는 증거를 대보도록 하여라!

왕고집 : 사또~~ 제 얼굴을 보십시요. 아무리 비슷하게 생겼어도 제가 얼굴이 더 잘 생겼습니다. 안 그렇습니까?

사또 : (고개를 절레절레 저으며) 응 그건 아니야~~

왕고집 : 사또 똑바로 좀 보십시오. (통장들을 들어 보이며) 저에게는 이렇게 많은 돈이 있습니다. 저를 왕고집으로 뽑아주신다면 이 돈을 몽땅 사또께 드리겠습니다.

이방 : 네 이놈! 어디서 사또를 시험하려 드느냐 이놈!

사또 : 어허! 천하의 왕고집이 나에게 돈을 준다고?? 거참 이상하구나!
[음향 : 06 로봇소리2]
가짜 왕고집 : 사또~ 성인 남자 46세에서 55세까지의 평균 심박수가 분당 72에서 76입니다. 그런데 저 놈의 심박수는 가만히 보니 현재 90이 넘어가고 있습니다. 비정상적인 심박수와 함께 동공이 크게 확장되어 있고 심부 체온이 34도로 낮아져서 매우 긴장하고 있음이 증명되고 있습니다. 이것으로 볼 때 저 놈은 거짓말을 하고 있는 게 분명합니다.

사또 : 뭐라?? 그걸 어찌 알았느냐?
가짜 왕고집 : 사또~ 저는 평생을 구두쇠로 깐깐하게 살아온 왕고집입니다. 제가 어찌 저런 가짜와 비교될 수 있겠습니까?

사또 : 그러고 보니 그렇네..

아내와 어머니도 서로 마주 보면서 고개를 끄덕인다.

가짜 왕고집 : 저는 사업과 투자에서 성공해서 돈을 아주 많이 벌었습니다. 그래서 이제는 다른 사람들에게 좋은 일을 하고자 합니다.
사또 : 응? 좋은 일이라니?

모두가 가짜 왕고집에게 시선을 고정시킨다.

가짜 왕고집 : 저는 제가 가진 재산의 절반을 소년소녀 가장과 독거노인을 위해 국가에 기증하도록 하겠습니다.

사또 : 아니~~ 그게 정말이냐?

가짜 왕고집 : (관객석을 향해서 물어본다.) 여러분~~ 여러분은 누가 왕고집이라고 생각하세요? (관중석에 사탕 봉지를 들어 보이며) 제가 왕고집이 된다면 제가 마련한 이 사탕을 여러분에게 이 자리에서 하나씩 나눠드리도록 하겠습니다. 저를 진짜 왕고집으로 밀어주십시오!!!

사또, 이방, 아내, 어머니 : (관객석 쪽으로 다가가 선거 운동하듯이 호응을 이끌어 내며) 와!!! 왕고집!! 왕고집!! 왕고집!!.........

가짜 왕고집과 사또, 이방, 아내, 어머니가 오른손을 들고 뻗으며 왕고집을 외친다. 관중석이 모두 왕고집을 외칠 때까지 계속한다.

왕고집 : (가짜 왕고집을 뒤로 밀쳐내고 무대 중앙에 서면서) 아니 사탕은 무슨 놈의 사탕이냐? 왕고집은 바로 나야. 그리고 왕고집은 원래 구두쇠인데 뭘 나눠줘? 나눠 줄 것 있으면 내가 다 먹을 거야.
(관중석을 향해 소리치며) 여러부~~운!! 저를 진짜 왕고집으로 밀어주십시오. 저는 앞으로도 쭈욱~ 세계 최고의 구두쇠가 될랍니다.

사또, 이방, 아내, 어머니 : (엄지손가락을 아래로 향하며 조롱하듯이) 우~~~~~~~~

가짜 왕고집 : (왕고집을 다시 옆으로 밀어내며) 여러분! 저를 왕고집으로 뽑아주시면 (사탕봉지에서 사탕을 한 웅큼 꺼내면서) 지금 당장 사탕을 여러분에게 나눠드립니다. 제가 진짜입니다. 여러분!!

사또, 이방, 아내, 어머니 : (박수를 치며) 와!!!~~~~~~

사또 : (두 손을 들어 진성시키며) 자!자!자!자! 그렇다면 여기서 다수결로 정하도록 합시다. 자. 여러분! (진짜 왕고집을 가리키면서) 여기 있는 이 왕고집이 진짜 왕고집이라고 생각하시는 분은 두 손 두 발을 번쩍 하늘 높~~이 들어주시기 바랍니다. 두 손 두 발을 동시에 번~~쩍!!

사또 : (관중석을 둘러보면서) 음... 아무도 없네...

왕고집 : (어처구니없다는 듯) 아니, 두 손 두 발을 어떻게 하늘 높이 들어요?

사또 : (이번에는 가짜 왕고집을 가리키면서) 그렇다면 이쪽 왕고집이 진짜 왕고집이라고 생각하시는 분 두 손을 번쩍 들어 보세요.

이방과 아내, 어머니, 그리고 퇴장했던 원장이 급하게 무대로 들어오면서 두 손을 번쩍 든다. 관중석에도 손을 번쩍 들라고 분위기를 유도한다.

사또 : (관중석 중에 손 든 사람과 무대 위에서 손 든 배우들의 숫자를 세는 흉내를 낸다.) 끝났네. (가짜 왕고집의 손을 번쩍 들어 보이면서) 이쪽 승리!!

[음향 : 07 빵빠레]

이방, 원장, 아내, 어머니, 사또 : 와!!!!!~~~~~~

무대 위에서 모두들 손을 서로 맞잡고 뛰면서 기뻐한다.

왕고집 : (바닥에 주저앉아서 울면서 오른손으로 바닥을 계속 친다.) 아이고... 아이고... 이게 뭔 일이냐? 아이고.... 내가 진짜 왕고집인데...

[음향 : 08 슬픈 음악]

다른 배우들은 순식간에 모두 무대에서 사라진다.

왕고집 : (무대 중앙으로 힘없이 걸어가서 허공을 보면서 혼잣말을 한다.) 아이고..... 내 팔자야~~ 완전히 거지가 되어버렸네....
(서서히 몸을 일으키며) 으이구~~ 내가 천벌을 받은 거야. 다른 사람을 돕기는 커녕 죄다 괴롭히면서 나 혼자만을 위해서 살았으니...
이제부터라도 마음 고쳐먹고 진정으로 바른 사람이 되기 위해 노력해야지. 그래서 다른 사람들에게도 영원히 기억되는 그런 사람이 될 거야.

왕고집은 두 주먹을 쥐고 눈을 감는다. 잠시 조용히 몇 초 정도 시간이 흐른다.
잠시 후 무대 한쪽에서 왕고집의 아내가 등장한다.
[음향 : 09 레코드판_긁히는 소리]

왕고집 아내 : (왕고집 쪽으로 다가와서 빤히 바라보더니) 아니, 당신은 대낮부터 허공에 대고 뭔 헛소리를 하고 그러세요? (관중 쪽을 바라보며) 여기 앞에 누구 있어요?

왕고집 : (두 눈을 번쩍 뜬다.) 아니!! 뭐야? (볼을 꼬집으면서) 나 지금 꿈꾼 거야?

왕고집 아내 : 대낮에 꿈도 요란하게 꾸시네요. 닭 잡아 놨으니까 얼른 와서 닭 다리나 뜯으셔요. (무대 뒤로 사라지면서) 얼른 와요~~

왕고집 : (기쁜 표정으로) 꿈이었어!! 이게 다 꿈이었어!! 아이고 옥황상제님 감사합니다. 착하게 살게요~~!! 감사합니다. 알라뷰~~

왕고집은 펄쩍 뛰면서 무대 뒤로 사라진다.
[음향 : 10 연극 끝 음악]

우정, 거짓말, 정직, 희생, 유괴예방, 환경오염, 양심, 학교폭력

별주부 이야기

♣ 공연 시간 약 15분 / 참여인원 6-8명 / 작가 : 콩트 blog.naver.com/CCconte

때 : 가까운 옛날 어느 날

곳 : 용궁, 어느 학교

등장인물 : 용왕, 상어대신, 문어대신, 의원(새우), 토끼, 자라, 선생님, 하이에나

무대 가운데에 용왕이 머리에 흰색 천을 둘러 감싼 채로 매우 고통스러운 표정으로 의자에 앉아 있고, 그 옆에 상어대신과 문어대신이 서 있다.

[음향 : 연극 시작 음악]

연극이 시작되면 상어대신이 천천히 걸어서 무대 중앙의 앞쪽으로 나오며 관객석을 바라본다.

상어대신 : 안녕하세요. 저희는 '별주부전'이라는 연극으로 우정과 희생의 아름다움을 표현해보았습니다. 좀 부족한 점이 있다면 박수로 많이 채워주시고 재미가 없다면 환호로 많이 격려해주시기 바랍니다.

관객석을 향해 허리를 숙여서 정중하게 인사한다.

상어대신 : 그렇게 멀지 않은 옛날, 바다 왕국에는 용왕이 살고 있었습니다. 그런데 그 용왕은 지독한 병에 걸려 있었지요. 오랜 세월 동안 바닷속에서 생활하면서 공장에서 흘러나온 폐수와 도시에서 흘러나온 생활하수 때문에 용왕의 몸속은 중금속으로 가득 차게 되었고, 결국에는 알 수 없는 병에 걸려 매일매일 고통에 시달려야 했습니다. 그러던 어느 날이었어요. 용왕은 대신들을 모아 놓고.....

용왕 : (많이 아픈 듯 머리를 만지며 일그러진 표정으로 상어대신의 하는 행동을 바라보다가 귀찮은 듯이 급히 손을 휘저으며) 야야야~ 상어야!

상어대신 : (깜짝 놀라 뒤에 있는 용왕을 바라보며) 네? 저... 저 말입니까?

용왕 : (몸이 매우 불편한 듯이 자리를 고쳐 앉으며 귀찮고 짜증 나는 표정으로) 야, 시끄럽다 시끄러워~!! 머리 아파서 정신 사나우니까 앞에서 궁시렁거리지 말고 비켜! 그리고 문어대신 너 빨리 의원이나 들라 해라! (머리를 감싸 쥐고 고통스러워하며) 나 지금 머리가 깨질 것 같아. 아이고 머리야~~

상어대신이 황급히 제자리로 돌아온다.

문어대신 : (예의 바르게 허리를 숙여 절하며) 네, 용왕마마~

문어대신 : (전화기를 들고) 여보세요~ 거기 의원님 대기하고 있지? 응~ 용왕님께서 지금 급히 찾으시니까 빨리 들어와서 침 좀 놔드리라고 해~ 응~ 오늘 밤을 못 넘기실 것 같아. 응~

문어대신이 전화를 끊고 용왕 옆에 머리 숙여 다소곳이 선다.
용왕이 갑자기 놀란 표정으로 눈을 동그랗게 뜨고 문어대신 쪽으로 고개를 천천히 돌려 노려본다.

용왕 : (한참 동안 문어대신을 빤히 쳐다보다가) 너 지금 뭐라고 했냐? 오늘 밤을 못 넘기다니?

문어대신 : (다시 매우 예의 바르고 정중하게 허리를 숙여 인사하며) 마마~ 제가 어찌 그런 말을 할 수 있겠습니까? 오늘 아프셔서 밥을 못 넘기셨다는 말이지요~ 하. 하. 하.

문어대신이 용왕의 표정을 살피다가 진지한 얼굴로 다시 고개를 푹 숙여서 인사한다.

용왕 : (그래도 문어대신을 빤히 쳐다보다가) 그렇지? 니가 그런 말을 했을 리가 없지?

용왕이 고개를 갸우뚱거리면서 새끼손가락으로 귀를 파는 시늉을 한다.

상어대신 : (역시 허리를 숙여 인사하며) 마마께서 머리가 많이 아프셔서 소리에 너무 민감하신 듯하옵니다. 마음에 안정을 취하시옵소서~

용왕 : (고통스러운 듯이 머리를 잡고 눈을 지그시 감더니) 머리가 아프니까 헛소리가 자꾸 들리는구나. (눈을 힐끔 뜨고 문어대신을 쏘아보며) 의원은 아직 멀었느냐?

이 때, 의원이 무대로 급히 달려와 용왕 앞에 선다.

의원 : (매우 기쁜 얼굴로 용왕 옆에서 머리를 조아리며) 마마~ 기뻐해 주십시오~

의원의 말에 용왕과 문어대신, 상어대신이 놀라서 눈이 휘둥그레진다.

용왕 : (환한 표정으로) 아니 어찌 되었느냐? 드디어 약을 찾아내었느냐?

의원 : 마마께서 걸리신 병은 몸속에 독이 쌓이면서 간이 퉁퉁 부어올라 생기는 병인데, 이런 병에는 딱 한 가지 약 밖에는 없습니다.

용왕 : (답답한 표정으로 급히 다그치며) 그게 무엇이냐? 당장 말해보거라~

의원 : 그 약은 바로 토끼의 간입니다!

용왕 : (매우 기쁜 표정으로) 토끼의 간??.... 아하하!! 그래~ 잘했다. 잘했어? 정말 수고했구나~ (갑자기 진지한 표정으로) 그런데 그걸 어떻게 알았느냐?

의원 : 제가 누굽니까 3일 동안 밤을 새워가며...

용왕 : 의학서적을 탐독하며 실험하고 연구하고 또 실험하고 그랬겠구나. 너의 정성이 정말 갸륵하다!

의원 : 그게 아니옵고 그냥 AI에게 물어봤습니다.

용왕 : 뭐라? 에이아이? (머리를 긁적이며) 아니 에이아이는 뉘집 아이인데 그렇게 똑똑하단 말이냐?

의원 : (당황하며 잠시 망설이는 듯하다가 어색하게 웃으며) 아하하하 그런 게 있습니다. 허허허

용왕 : 자~ 뭣들 하느냐? 어서 토끼의 간을 나에게 가져오거라.

상어대신 : 용왕마마~ 그런데, 한 가지 문제가 있사옵니다.

용왕 : 뭐가?

상어대신 : 토끼는 육지에 사는 동물이온데, 물 속에 사는 우리가 어떻게 잡아올 수 있겠사옵니까?

용왕 : (손바닥으로 이마를 치며, 그제서야 알았다는 듯이) 아! 맞다! 듣고 보니 그렇구나.

문어대신 : 용왕마마~ 걱정마시옵소서~ 별주부가 있사옵니다.

용왕 : 별주부???

문어대신 : 별주부는 자라를 이르는 말로 물속을 헤엄쳐 다닐 수도 있고, 땅 위를 기어 다닐 수도 있으니 반드시 토끼를 잡아올 수 있을 것이옵니다~

용왕 : 오호~~~ 그거 잘 되었구나. 어서 자라를 시켜 토끼를 잡아오도록 하거라~~

상어대신 : 그런데 또 한 가지 문제가 있사옵니다.

용왕 : 또 뭐가 문제인가?

상어대신 : 토끼는 육지에서 가장 민첩하기로 소문난 동물이온데, 자라는 육지에서는 가장 느린 편에 속하기 때문에 토끼를 쉽게 잡아오지 못할 것이옵니다.

용왕 : 그럼 어떻게 하면 좋겠느냐?

문어대신 : 용왕님~ 저에게 좋은 생각이 있는데 이렇게 하면 어떨까요?

용왕 : 어서 말해보거라.

문어대신 : (결의에 찬 눈빛으로) 자라에게 수면제를 줘어주는 겁니다.

용왕 : 그래서?

문어대신 : (진지한 표정으로) 토끼를 발견하면 토끼가 먹는 음식에 수면제를 섞어서 먹게 하는 거죠. 그리고 토끼가 잠들 때까지 자라가 옆에서 자장자를 불러주는 겁니다. (갑자기 장난스럽게 성악가처럼 목청 높여 노래를 부르며) 잘 자라~~♪ 잘 자라~~♪ 내 귀여운 토끼~~♬ (용왕을 보면서 일부러 과장된 웃음으로) 하하하하하하하하

분위기가 썰렁하자 문어대신이 웃음을 멈추고 주변 사람들의 표정을 살핀다.

용왕 : (문어대신을 한참 동안 쳐다보다가) 그러니까... 자라니까 잘자라~?

문어대신 : (풀이 죽어서 소심하게 작은 목소리로) 네....

용왕 : 그럼 갈치는 갈치니까 선생님이고?

문어대신 : (매우 진지하게) 네...

용왕 : 그럼 바닷소는 야구할 때 포수냐?

문어대신 : (대단하다는 듯이 두 손의 엄지를 세워 들어 보이며 큰 소리로) 오~~~!!!!

용왕 : (상어대신과 의원 쪽을 보면서 손가락으로 문어대신을 가리키며) 얘 왜 이러니 얘? 가만 보면 나보다 얘가 더 아픈 것 같애~

문어대신이 급격히 자신감을 잃은 표정으로 고개를 숙이며 다른 사람들의 눈치를 살핀다.

의원 : 고정하시옵소서. 화내시면 병이 더 악화되옵니다~

용왕 : (문어대신에게 곁눈질하며) 너는 자꾸 그 아재 개그를 하니까 머리가 벗겨지는 거야~ 응? 문어랑 새우랑 탑쌓기 게임을 하면 누가 이기는 줄 알아?
문어대신 : 네? 갑자기 무슨....

용왕 : 새우가 이겨! (문어와 새우를 차례대로 번갈아 보며) 문어는 무너지고 새우는 세우니까. (관객석을 향해서 과장된 웃음으로) 하하하하하하하

모두 웃지 않고 불쌍하다는 표정으로 용왕의 얼굴을 살핀다.

의원 : (걱정스러운 표정으로 머리를 조아리며) 마마!! 여기서 정신을 놓으시면 아니 되옵니다!! 정신을 꽉 붙드셔야 하옵니다~!!

상어대신이 참고 있다가 답답한 듯이 앞으로 나선다. 용왕은 한참 동안 웃는 표정으로 대신들과 관객석을 바라본다.

상어대신 : (큰 소리로) 마마!! 이렇게 농담 따먹기나 하실 때가 아니옵니다.

용왕 : (갑자기 웃음기가 확 없어지고 매우 진지한 표정을 하며 성우와 같은 맑고 근엄한 목소리로) 어허~!! 내가 문어대신 때문에 잠시 개그병이 도졌구나~ 에헴!!!

상어대신 : 용왕마마~ 토끼에게 수면제를 먹이게 되면 그렇잖아도 육지에서 움직임이 어려운 자라가 잠든 토끼를 데려오기는 더 힘들 것이옵니다.

용왕 : 그러면 어떻게 토끼를 데려올 수 있단 말인가?

상어대신 : 저에게 좋은 방법이 있사옵니다.

용왕 : 그래? 어서 말해보거라!

상어대신 : 그러니까 그게... 여차저차 해서 이런저런 방법으로 요리조리하면 요렇게 조렇게 될 것 같사옵니다.
문어대신 : (이해가 안 된다는 듯이 상어대신과 의원을 바라보며) 응? (의원을 바라보며 손가락으로 상어대신을 가리키고) 지금 애가 뭐라는 거예요?

용왕 : (감탄하며) 오호~!! 좋은 방법이구나. 어서 그렇게 실행하도록 하거라~

용왕이 흐뭇한 표정으로 고개를 끄덕인다.

상어대신 : (미리를 조아리며) 네~~ 분부대로 하겠나이다~~~

상어대신이 다시 무대 중앙의 앞쪽으로 나선다.
상어대신이 말하는 동안 문어대신이 여전히 모르겠다는 듯이 의원에게 물어보는 시늉을 하고 의원은 그것도 모르냐는 듯이 핀잔을 주는 몸짓을 한다. 용왕이 문어대신에게 꾸짖듯이 손가락질하며 나무라는 시늉을 한다. 문어대신은 이해가 가지 않는 듯이 고개를 갸웃거린다.

상어대신 : (관객석을 바라보며) 그리하여 자라가 용왕의 명령을 받들고 육지로 올라가 토끼를 찾기 시작했습니다. 그러다가 토끼가 대한민국 반달마을에 있는 계수나무초등학교에 다니고 있다는 것을 알게 되고, 그 학교로 몰래 위장 전학을 가게 되었습니다.

용왕과, 의원, 상어대신, 문어대신이 무대에서 사라진다.
[음향 : 학교 종소리, 학생들 웅성거리는 소리]
무대 한쪽에서 선생님이 자라를 친절하게 안내하며 등장한다. 자라는 책가방을 메고 잔뜩 긴장된 표정으로 무대 중앙으로 걸어와서 선생님과 함께 선다.

선생님 : (관객석 쪽을 둘러보며) 자~ 여러분~ 여기 새로 전학 온 친구를 소개할게요~ 성은 차씨이고 이름은 자라라고 합니다. (자라 쪽을 바라보면서) 차자라 학생~ 친구들에게 인사하세요.
자라 : (관객석 쪽으로 인사하며) 안녕~ 나는 용궁초등학교에서 전학 온 차자라야. 아무래도 이 학교에서 뭔가 좀 찾아봐야 할 것 같은데, 너희들이 좀 도와줘. 그리고 사이좋게 지내자.

선생님 : 자라 학생이 우리 학교에서 자신의 멋진 꿈을 찾으려나 봐요~ 자~ 그러면 수업은 9시에 시작할 테니, 화장실 다녀와서 공부할 준비 하세요~

선생님은 무대에서 사라지고, 자라 학생이 커다란 망원경을 꺼내서 눈으로 보면서 관객석 주변을 이리저리 탐색한다.

자라 : (망원경으로 이리저리 훑어보며) 토끼가 어디 있지? (한 방향에서 멈추며) 와~ 눈이 댓따 커~ (다시 다른 곳으로 망원경 방향을 옮기며) 엇! 콧구멍이다. 와~~!!

그러는 동안 하이에나 학생이 불량한 모습으로 무대에 등장하여 자라에게 슬슬 다가온다.

하이에나 : (자라 근처까지 다가가서 깔보듯이 바라보며) 야~~ 못생긴 애!

자라 : (망원경을 내리고 하이에나 쪽을 바라보며) 응?

하이에나 : (건방지게 손짓하며) 잠깐 이리 와봐!!

자라 : (잔뜩 겁먹은 표정으로 하이에나를 바라보면서) 나.. 나 말이야?

하이에나 : (말을 더 하기 귀찮다는 듯이) 거기 못생긴 애가 너 말고 누가 있어?

자라 : 나 지금 누굴 좀 찾아봐야 하는데....

하이에나 : (잔뜩 인상을 찌푸리며 자라에게 다가가서) 야, 이 학교에 전학을 왔으면 신고를 해야지.

자라 : (눈을 동그랗게 뜨고 이해가 안 간다는 듯이) 전학 왔는데 뭘 신고해?

하이에나 : (자라에게 다가가서 눈앞에서 주먹으로 위협하며) 와~ 이 놈 좀 봐라~~ 이 학교 짱인 하이에나를 몰라보고 까부네...

자라 : (하이에나의 위협에 겁이 나서 움츠리며) 아니 왜 그래? 내가 뭘 잘못했어?

하이에나 : (무언가 달라는 듯이 손을 내밀며) 야, 쫑알쫑알대지 말고 너 돈 있으면 줘봐.

자라 : 나 돈 같은 거 안 가지고 다니는데~

하이에나 : (표정이 심하게 일그러지며 팔을 걷어붙이면서) 그래? 그러면 신고식으로 열 대만 맞자.

하이에나가 자라를 주먹으로 때리려는 찰나에 무대 한쪽에서 토끼가 달려온다.

토끼 : (하이에나 앞에 당당히 서서 큰소리로 따지듯이) 야~!! 전학생에게 무슨 짓이야?

토끼가 자라의 앞쪽으로 다가가서 자라를 보호하려는 듯이 가로막는다.

하이에나 : (피식 웃으며 조롱하는 듯한 말투로) 어라... 토끼 넌 왜 끼어드냐?

자라 : (고개를 내밀어 토끼의 얼굴을 바라보며) 어? 그럼 이 애가 토끼? (주머니에서 급히 토끼 그림을 꺼내서 비교하는 것처럼 토끼의 얼굴과 그림을 번갈아 본다.) 맞네, 맞아. (기쁜 듯이 펄쩍펄쩍 뛰며) 드디어 찾았다!!

하이에나 : (한발 다가가면서 토끼에게 비키라는 듯이 손으로 저으며) 토끼 너는 저리 비켜! 나는 자라와 할 말이 있으니까.

토끼 : (급히 자라 쪽으로 가서 자라를 보호하려는 듯 자라를 등지고 막아서며) 안돼! 전학생을 더 이상 괴롭히지 마! 선생님에게 다 이를 거야.

하이에나 : 어라! 요즘 오냐오냐 해줬더니 간이 배 밖으로 나왔네~

자라 : (자라가 두 손을 들고 갑자기 앞으로 나서면서 큰 소리로) 잠까~~~~안!!!

토끼와 하이에나가 깜짝 놀란다.

자라 : (토끼의 배를 이리저리 만지면서) 아직은 안돼!! 배 밖으로 나오면 안돼!! (토끼의 얼굴을 바라보며 매우 걱정하는 눈빛으로 울먹이듯 애원하며) 토끼야. 어서 간을 잘 집어 넣어봐~ 간이 나왔다잖아!!

토끼 : (자라를 바라보면서 어이없다는 듯이) 무슨 소리야. 간이 왜 나와?

자라 : (토끼의 몸을 이리저리 살펴보면서 다시 확인하듯이) 그렇지?? 간이 안 나온 거지? (다시 환한 표정으로 웃어 보이며 안심하듯이) 휴~ 다행이다.

하이에나 : (어이가 없다는 듯이 한숨을 쉬며 자라를 바라보다가 다가가서) 뭐 이런 이상한 애가 다 있어?

하이에나가 자라를 잡아서 옆으로 밀어 넘어뜨린다.

토끼 : (넘어진 자라에게 다가가서 다시 하이에나를 막아서며) 이게 무슨 짓이야!

하이에나 : (토끼를 옆으로 밀쳐서 넘어뜨리면서) 넌 뭔데 자꾸 까불어.

넘어진 토끼가 다시 달려들어서 자라를 보호하듯이 팔을 벌려 방어한다.

토끼 : (큰 소리로 무대의 한쪽을 바라보면서) 선생님~!! 선생님!! (하이에나를 바라보며) 선생님께 혼날 준비나 해!

하이에나 : (선생님이 오는지 눈치를 살피더니 화가 잔뜩 나서) 어휴~~ 재수 없어!! (토끼와 자라에게 손가락질하면서 이를 악물고) 너희들 둘~!! 나중에 보자!!

하이에나가 급히 사라진다.
하이에나가 사라지자 토끼가 자라를 살핀다.

토끼 : (뒤를 돌아서 자라의 몸을 살피면서) 어때? 다친 곳은 없어?

자라 : (엉덩이를 쓱쓱 털며 일어난다.) 괜찮아. 도와줘서 고마워.

토끼 : (갑자기 한쪽으로 몸을 굽혀서 토할 것처럼) 우엑!! 우~~엑

자라 : (깜짝 놀라서) 왜 그래? 괜찮아??

토끼 : (한 손을 들어서 괜찮다고 진정시키고 일어서서 다른 손으로 입을 닦으며) 아냐, 괜찮아 가끔씩 힘들면 그래.

자라 : (조금은 안심하며) 그래? 병원에 가봐야 하는 거 아니야?

토끼 : (자라를 바라보며) 자라라고 했지? 난 토끼야, 구토끼! (입을 닦았던 손을 내밀면서) 우리 친하게 지내자.

자라가 토끼의 손을 보고 머뭇거리자 토끼가 재빨리 눈치채고 손을 바꿔서 내민다.

자라 : (손을 내밀어서 토끼의 손을 잡으며) 그래, 앞으로 우리 친하게 지내자.

토끼와 자라는 어깨동무를 하고 흥겨운 스텝으로 무대에서 사라진다.
잠시 후 자라가 '3주 후'라는 팻말을 들고 천천히 걸어서 다시 무대로 등장한다.

뭔가 골똘히 생각에 잠겨 있다.
팻말을 무대 한쪽에 던져 놓는다.

자라 : (고민에 빠진 것처럼 머리를 살짝 긁으며) 아우~~ 어쩌지? 내가 계수나무 학교로 전학을 온 지도 벌써 3주가 다 되었으니까 이제 슬슬 토끼를 용궁으로 데려가야 할 텐데... 마음이 내키지 않네.

갑자기 휴대폰 전화벨소리가 들린다.
[음향 : 휴대폰 벨소리]
자라 : (바지 주머니에서 휴대폰을 꺼내어 들며) 여보세요~ 네! 네! 아뇨, 시간이 조금 더 필요할 것 같은데요. 기회가 오면.....

휴대폰에서 들리는 큰 소리 때문인지 자라가 깜짝 놀라서 인상을 찌푸리며 휴대폰을 귀에서 뗐다가 다시 댄다.

자라 : (풀이 죽어서) 아, 알겠습니다. 내일까지 용궁으로 반드시 데려가도록 하겠습니다. 네! 네!!!

자라가 힘이 빠진 모습으로 휴대폰을 다시 주머니에 넣는다.

토끼가 가만히 무대 한쪽에 등장해서 자라의 이런 모습을 숨어서 지켜보는 시늉을 한다.

자라 : 어떡하지? 저렇게 착한 토끼에게 거짓말을 해서 죽게 해야 하다니 난 정말 나쁜 애야. (슬프고 걱정스러운 얼굴로 고개를 떨어뜨린다.)

토끼가 자라의 말을 듣고 있다가 일부러 기쁜 표정을 지으며 신나는 스텝을 밟으며 자라에게 다가온다.

토끼 : (자라에게 다가가서 손으로 자라의 등을 가볍게 치며) 자라야! 뭐하니?

자라 : (깜짝 놀라며 고개를 들어서 토끼를 바라보면서 힘없는 목소리로) 응... 토끼야, 사실은 내가 며칠 동안 용궁에 다녀와야 하거든~

토끼 : 그래? (자라의 손을 잡으면서) 와!! 좋겠다. 용궁은 엄청 멋있을 것 같아!

자라 : (살짝 용기를 낸 듯이) 그래서 말인데, 토끼야! 나랑 같이 용궁으로 놀러 가지 않을래? 용왕님께 토끼 네 이야기를 했더니 기뻐하시면서 너를 꼭 보고 싶다고 하셔서...

자라는 그 말을 하고 양심의 가책을 느꼈는지 다시 고개를 푹 숙인다.

토끼 : (좋아서 펄쩍 뛰며) 앗싸!! 나야 좋지. 당장 가자!!

자라 : 그래도 되겠어?

토끼 : (기쁜 표정으로) 그걸 말이라고 해? 내가 한 번도 가본 적이 없는 곳이잖아. 야호!!
자라 : 네가 그렇게 좋아할 줄은 몰랐어.

토끼 : 언젠가 한 번은 꼭 바닷속 용궁에 가보고 싶었어. 자라 너와 함께라면 더 신날 거야! 빨리 가자!!

자라 : 저기... 그러면~ (토끼에게 등을 내밀면서) 자! 내 등에 업혀. 내가 용궁까지 데려다 줄게.

토끼 : 그래!!

토끼가 자라의 등에 업힌 것처럼 자라의 등껍질을 잡고 무대를 크게 한 바퀴 돈다.

토끼 : (무대를 돌면서 신나서 큰소리로) 유~~~후~~~~ 신난다!!!! 너무 멋져!! 와!!! 아름다워~~

한참을 돌다가 무대 중앙에서 멈춘다.
토끼가 자라의 등껍질을 놓고 관객석을 바라보며 신기한 눈빛으로 감탄하며 여기저기 바라본다.

자라 : (토끼를 내려놓으며 슬픈 표정으로 힘없이) 자... 다 왔어. (손가락으로 관객석 쪽을 가리키며) 이제 저 문으로 들어가면 용궁이야.

토끼 : (자라의 얼굴을 살피면서 걱정스러운 듯이) 어? 그런데 왜 그렇게 힘이 없어? 어디 아파?

자라가 고개를 푹 숙이고 아무 말도 하지 않는다.

이때, 상어대신과 문어대신이 무대로 등장해서 토끼의 양손을 잡는다.
자라는 토끼로부터 등을 돌린 채 슬픈 표정으로 고개를 숙이고 가만히 서 있다.

상어대신 : 잘 왔다. 토끼야~ 하하하

문어대신 : (자라를 보면서) 자라 수고했소. 토끼가 영리하다더니 용궁까지 따라온 걸 보면 헛소문인가 봐~ 하하하하

상어대신 : 하하하 그러게 말일세.

상어대신, 문어대신 : 하하하하하

토끼가 뭔가 이상한 낌새를 알아차리고 자라의 얼굴과 상어대신, 문어대신의 얼굴을 번갈아 본다.

토끼 : (심각한 표정으로) 자라야! 이게 어찌 된 일이야?

상어대신 : (토끼의 팔을 더 힘껏 움켜쥐며) 어찌 된 일이긴... 저기 자라가 널 속여서 용궁으로 잡아오려고 얼마나 공을 들였는데~

문어대신 : 어서 간을 꺼내러 가자! 네 간이 우리 용왕님의 병을 낫게 할 테니...

토끼 : (매우 놀라며) 제 간이요? 제 간이 왜요?

상어대신 : 용왕의 병을 낫게 하려면 토끼의 간을 먹어야 하거든. 귀하신 용왕님을 위해 천하디 천한 너의 목숨을 바치는 것이니 너무 억울해하지 말거라.

토끼 : (매우 흥분하며) 아니, 어떻게 이럴 수가 있어? 주인 허락도 없이 남의 것을 훔쳐가는 짓은 강도나 하는 짓이에요! (갑자기 토할 듯한 표정을 지으며) 우~~ 우엑!!!

문어대신 : (토끼를 보고 깜짝 놀라서 토끼의 팔을 놓으며) 어이쿠 이게 뭐야!!

상어대신 : (역시 놀라서 팔을 놓으며) 아니 이놈이 왜 이래? 더럽게!!

토끼 : (허리를 숙여 토악질을 해대며) 우엑!! 우~~~~엑!!!

이 모습을 보고 있던 자라가 상어대신과 문어대신 쪽으로 한 발짝 나선다.

자라 : (잔잔하지만 힘 있는 목소리로 담담하지만 명확하게) 간이 없어서 그래요.

상어대신, 문어대신 : 뭐라고??

상어대신 : 간이 없다니 무슨 소리야?

자라 : (관객석 쪽을 보고 슬픈 듯한 눈빛으로 천천히 말하며) 제가 육지에 갔을 때, 하이에나가 그랬어요.

문어대신 : 하이에나는 또 뭐야?

자라 : (여전히 관객석 쪽을 보고) 하이에나는 육지에 사는 유명한 의사인데, 토끼를 보더니 간이 배 밖으로 나왔대요.

상어대신 : 아니! 간이 배 밖으로 나와?

문어대신 : 그러면 죽는 거잖아.

자라 : (상어대신과 문어대신을 슬쩍 보며) 그건 토끼에 대해 몰라서 하는 말이에요.

자라 : 토끼는 원래 보름달이 뜰 때마다 간을 배 밖으로 꺼내서 깊은 산속 맑은 계곡물에 담가서 신령한 힘을 얻는 거예요.

상어대신 : 에이~ 무슨 그런 억지가 있어?

문어대신 : 그걸 믿으라는 거야? (토끼를 바라보며) 토끼야 자라 말이 맞아?

토끼 : (겁먹은 표정으로 상어대신과 문어대신을 바라보며 고개를 끄덕이면서) 네.... 네!!!

자라 : 새우의원이 왜!! 오직 토끼의 간만이 용왕님의 병을 낫게 한다고 했겠어요? 왜 상어대신의 간이나 문어대신의 간을 약으로 쓰면 안 되는 거죠?

상어대신 : (배를 두 손으로 움켜쥐며) 뭔 끔찍한 소리야?

문어대신 : (역시 배를 두 손으로 움켜쥐며) 안 돼~ 내 간은... 소중하니까!

자라 : 토끼의 간은 그만큼 귀한 거예요. 신령스런 힘이 들어있다구요.

상어대신 : 그렇다면 너는 왜 간이 배 밖으로 나온 토끼를 용궁으로 데려왔어? 그냥 간을 가져오면 되잖아.

자라 : 간이 있는 곳은 토끼만 알아요. 토끼가 자기 간을 다시 뱃속에 넣을 때까지 기다리고 있었는데 전화를 해서 빨리 데려오라고 재촉했잖아요!

문어대신 : (상어대신에게 손가락질해 대며) 거봐!! 내가 더 기다려야 된다고 했잖아! 너 때문에 이게 뭐냐?

상어대신 : (같이 손가락질해대며) 야! 전화를 한 건 너잖아. 네가 재촉해서 이렇게 된 거 아니야!

자라 : (두 손을 들어서 상어와 문어대신을 말리며) 잠깐만! 이렇게 싸우고 있을 때가 아닙니다. 토끼의 간을 계곡에 계속 방치하면 다시는 간을 약으로 사용할 수 없어요.

문어대신 : 그러면 어서 가져와야지! 용왕님이 한시가 급한데!

상어대신 : 어서 속히 토끼의 간을 가져오게!

자라 : 간이 있는 곳은 토끼만 알고 있으니 제가 토끼를 데리고 다시 육지에 나가서 간을 찾아서 오겠습니다.

문어대신 : 그래 어서 다녀오게!

자라가 토끼에게 다가가서 손을 내민다. 토끼는 자라의 손을 잡는다. 이때 의원이 무대로 등장한다.

의원 : (큰소리로 재촉하듯이) 아니 여기서 뭐 하고 있어! 토끼가 왔으면 빨리 데려와야지!

상어대신 : (의원을 바라보며) 지금은 간이 배 밖으로 나와서 없대.

의원 : 그게 무슨 새우잠 자다가 새우등 터지는 소리야?

자라와 토끼가 이들에게 등을 돌린 채로 멈춰서서 긴장하면서 꼼짝하지 않고 이들의 말을 듣고 있다.

문어대신 : 토끼는 원래 한 번씩 간을 배 밖으로 꺼내 놓고 산다는데?

의원 : 뭔 말도 안되는 소리를 하고 있어? 간이 배 밖으로 나오면 죽는데 어떻게 그걸 믿어!!

상어대신과 문어대신이 고개를 휙 돌려서 자라와 토끼를 바라본다.

자라 : (토끼의 손을 잡아끌면서 도망치듯 달리는 시늉을 한다.) 토끼야 어서 토껴!!

토끼는 자라에게 업힌 것처럼 등껍질을 잡고 다시 무대를 크게 한 바퀴 돈다. 상어대신과 문어대신, 의원도 토끼와 자라를 쫓아서 무대를 한 바퀴 돈다.

상어대신 : 게 섰거라!!! 아니 자라 섰거라!!

문어대신 : 멈추지 못해!! 너 용왕님께 벌 받고 싶어?

의원 : 저놈들 놓치면 니들 목숨도 끝이야!!

토끼와 자라를 쫓던 상어대신과 문어대신, 의원은 줄줄이 무대 바깥으로 사라진다. 토끼와 자라는 무대 중앙에 서서 숨을 헐떡인다.

자라 : (숨을 헐떡이며 토끼를 보면서) 토끼야, 이제 됐어. 따돌린 것 같아.

토끼 : (숨을 헐떡이면서 자라를 보고) 왜 날 속였어?

자라 : (미안한 표정으로 고개를 숙이며) 미안해. 난 너를 배신했어. 날 용서하지 말아줘.

토끼 : (자라의 얼굴을 불쌍하게 바라보며) 그런데 왜 날 살려줬어?

자라 : (미안한 표정으로 토끼를 바라보며) 넌... 나의 친구니까.

토끼 : 자라야!

자라 : 토끼야!
[음향 : The Power of Love 'cause I'm your lady~' 부분 음악]
자라와 토끼가 서로 포옹한다. 잠시 후 자라 혼자 관객석 쪽으로 더 가까이 걸어서 나온다.
음악이 작게 잦아든다.

자라 : 그 뒤로 어찌 되었냐구요? (웃음) 저는 토끼와 단짝 친구가 되었지요. 사실 용궁에 가기 전에 토끼는 자신이 죽을 수도 있다는 걸 알고 있었어요. 그런데도 끝까지 저를 믿어 준 거죠. 저는 이번 기회에 큰 깨달음을 얻어서 누구에게도 나쁜 거짓말을 하지 않고 항상 정직하게 살기로 마음먹었습니다.
(웃음을 참는 듯 손으로 잠시 입을 막았다가 떼며) 그리고 얼마 전에 용궁에 있던 의원이 토끼의 간에 있는 약효 성분과 똑같은 성분을 상어 지느러미와 문어 빨판에서 발견했대요. 상어대신~ 문어대신~ 토끼간을 대신해줘~ 미안 미안~~

음악이 다시 커지면서 등장인물 모두가 무대로 나와서 인사한다.

정직, 인성교육, 마당극, 이웃사랑, 욕심, 베푸는 삶

우리 놀부가 달라졌어요.(A형)

♣ **공연 시간 약 10분 / 참여인원 8명 / 작가 : 콩트** blog.naver.com/**CCconte**

때: 옛날

장소 : 놀부네 집

등장인물 : 놀부, 놀부마누라, 흥부, 흥부마누라/해설자, 마당쇠, 덩치1, 덩치2, 행인

극이 시작되면 무대 한쪽에서 해설자가 한 손에 부채를 들고 활기찬 걸음으로 등장한다.

해설자 : (접혀진 부채로 손바닥을 때리며) 아이고~ 그 소문 들어보셨소? (무대 뒤쪽을 가리키며) 쪼~기 옆 마을에 놀부라는 욕심쟁이 양반 말이요~ 그 양반이 그 마을에서 제일가는 부자라서 누구 하나 부러울 것 없이 떵떵거리며 살고 있는디~ (안타까운 표정으로) 요즘에는 얼굴이 완전히 죽을 상이 돼부렀답니다. (호기심과 기대감이 넘치는 밝은 표정으로) 도대체 뭔 일인지 궁금헌께 나랑 같이 놀부네로 가봅시다~ (따라오라고 손짓하며) 언능 따라오쇼!

[음향 : 01 빠른 장구소리]

해설자가 무대에서 퇴장하고 곧바로 놀부와 놀부마누라가 큰 걸음으로 당당하게 등장한다. 놀부마누라의 손에는 커다란 밥주걱이 들려있다.

놀부 : (무대로 성큼성큼 걸어 나오면서 화가 나서 큰 목소리로 놀부마누라를 보고) 그랑께. 시방 흥보 그놈이 다리 부러진 사람을 잘 고쳐줘 갖고 부자가 되어부렀다~~ 그 소리여?

놀부마누라 : (기분 나빠서 매우 흥분하며 큰소리로) 맞당께요. 제가 옆집 사는 삼순이한테 들었당께요.

놀부 : (무척 화가 나서 견딜 수 없다는 표정으로) 근디 그 다리 부러진 사람이 보통 사람이 아니고 높~은 벼슬아치의 삼대독자였다~ 그 말이제?

놀부마누라 : (속상한 표정으로) 그라지라잉. 그 일로 해서 흥부네가 큰~ 부자가 된 거 아니겄소.

놀부 : (표정이 잔뜩 일그러지며 복통이 일어난 듯이 갑자기 배를 움켜잡고) 아이고!!! 아이고 배야. 아이고 배야~~~~~!!!! (약 3초 동안을 그렇게 배를 움켜쥐고 있다가 갑자기 무대 한쪽으로 달려가서 허공에 발차기를 하려는 듯이) 내 이놈 흥보를 그냥 콱!! .....

놀부가 갑자기 생각에 잠긴듯이 다시 무대 중앙으로 다가온다.

놀부 :(무언가 생각이 난 듯 혼잣말하듯이) 아니지, 아니야. 흥보도 했는디 나라고 못 할 일이 없지. 내 이럴 때가 아니지.
(큰 결심이 선 듯이 무대 한쪽을 보며 강한 말투로) 애, 마당쇠야!!! 마당쇠야!!!

몰래 낮잠 자다가 시끄러운 소리에 깨어난 마당쇠가 무대로 등장한다.

마당쇠 : (귀찮다는 듯이 표정을 잔뜩 찌푸리고 무대로 등장하며) 아따! 귀청 떨어지겄구마잉. 어떤 놈이 이렇게 시끄럽게 한다냐? (걸어 나오다가 놀부를 발견하고 흠칫 놀라며) 음매.

놀부 : 뭐여?? 이놈이 시방.......(담배곰방이를 치켜 세우고) 타악~! 기냥...

마당쇠 : (손을 들어 막는 시늉을 하며) 그.. 그게 아니고 (손을 모아쥐고 아름다운 동화를 상상하듯 지긋이 눈을 감으며) 꿈 속에서 들리는 그 목소리가 정말 낭랑한 것이 은쟁반에 바윗돌덩이 구르는 것처럼 시끄럽고도 아름답단 소리지라잉~

놀부 : 징그러운께 잔소리 말고 잽싸게 몽둥이 하나 구해 갖고 오너라.

마당쇠 : (재빨리 무대 한쪽에 있는 몽둥이를 슬쩍 들고 와서 놀부에게 전해준다.) 여기 있습니다요.

놀부 : (약간 놀란듯) 음매 어떠코롬 했는디 이렇게 빨리 갖고 오냐.

마당쇠 : (팔짱 끼고 으스대며) 시간 관계상 마당극을 빨리빨리 진행할라고 아까 소품을 잘 챙겨놨지라잉.

놀부 : (흐뭇한 눈빛으로 마당쇠를 바라보며) 아따 이럴 때는 마당쇠 니가 또 쓸만 허다잉. 그려! 이 몽둥이 들고 냉큼 가서 지나가는 사람 중에 멀끔하게 생긴 놈 다리 하나 작씬 분질러가꼬 끌고와라!

마당쇠 : (어이없다는 표정으로 놀부를 바라보며 따지듯이) 아니, 아무 죄도 없는 사람 다리는 왜 작씬 분질른다요?

놀부 : (답답하고 귀찮다는 표정으로 손가락질하며) 아따, 니만 모르고 있제.. (관중석 쪽을 손으로 가리키며) 여기 모인 사람들은 다 알고 있응께 티격태격하는 장면은 과감하게 생략해불자. 컷! 컷!
어서 냉큼 갔다와!

놀부마누라 : (밥주걱으로 위협하듯이 휘두르며) 갔다오라믄 냉큼 갔다와야제~~.

마당쇠 : (놀부 마누라의 밥주걱에 깜짝 놀라서 피하면서) 오매! (고개를 갸우뚱하고 무대에서 사라지며) 아따매! 당췌 뭔 속인가 모르겄구마잉~
[음향 : 02 비명소리]

무대에서 사라지자마자 갑자기 비명 소리가 들리고, 마당쇠가 행인을 부축해서 데려온다.

행인 : (괴로운 듯 큰 소리로) 아이고 내 다리!! 아이고!!

마당쇠 : (무대에 몽둥이를 던져놓고 행인을 주저앉히며) 자! 다리를 작신 분질러 갖고 데려 왔구만요.
행인 : (매우 고통스러운 표정으로) 아이고, 생사람 잡네 아이고.....

행인이 다리를 절면서 무대 가운데로 걸어와 쓰러진다.

놀부 : (놀란 척하면서 얼른 행인에게 다가가서) 오매! 이게 뭔 일이요? (앉아서 안타까운 표정으로 행인의 다리를 살피며) 아이고~ 어쩌까잉~ 다리가 콱 부러졌는 갑네~

행인 : (자기 다리를 힐끗 보더니 엄살을 떨며) 아이고 내 다리!! 아이고~

놀부 : (마당쇠를 가리키면서) 저놈이 그랬구만 저놈이!! 야 이놈아! 이게 뭔 짓이냐!

마당쇠 : (어이없다는 표정으로) 아니! 아까 저한테 멀끔하게 생긴 놈 다리 하나 분질러서 데려오라매요~

놀부 : (크게 꾸짖으며) 아니 이놈아! 니가 제정신이냐? 사람 다리를 왜 분질러!!

마당쇠 : (따지듯이) 아! 시킬 때는 언제고 이제 와서 오리발이래요~?

놀부 : (몸을 일으켜 마당쇠를 향해 주먹을 들어 위협하며) 내 이놈을 콱!!

마당쇠 : (깜짝 놀라서 급히 도망치며) 아이고!!!

마당쇠가 무대 바깥으로 도망치듯이 퇴장한다.

놀부 : (마당쇠가 퇴장한 무대 바깥쪽을 향해서 서서 손바닥을 털며) 에이! 저런 날강도 같은 놈! (천천히 걸어서 행인 쪽으로 돌아와서 놀부 마누라를 보면서) 여보 마누라! 뭐한가! 얼른 기브스 해야제~

놀부 마누라 : (무대 한켠에 놓인 깁스를 집어서 전해주며) 여기요~

놀부 : (깁스를 다리에 끼워주고) 자~! 다 끝났소. 인자 일어나 보쑈.

행인 : (다리를 잡고 겨우 일어나며) 오매 재수가 없을랑께.... 아이구 다리야~~
놀부 : (행인을 위아래로 훑어보며) 어떻소? 괜찮지라우~

행인 : (엉겁결에) 네~ (아니라는 듯이 고개를 저으며) 아.. 아니요. 안 괜찮은디요.

놀부 : 자! 어쨌거나 내가 부러진 다리를 고쳐줬응께 (먼산을 보는 척하면서 한 손을 뻗어 뭔가를 달라는 시늉을 하면서) 이제 뭔가 성의를 좀 보여줘야 될 것 같은디~

행인 : (고통스러운 표정으로 뜬금없다는 듯이) 아니 뭔 성의요?

놀부 마누라 : (어이없다는 표정으로 끼어들어서 나무라듯이) 강도한테 당해서 다리가 부러진 걸 고쳐줬응께 치료비를 줘야제~

행인 : (어이없다는 듯이 놀부 마누라를 바라보며) 치료비요?

놀부 : (능청스럽게) 잉~ 치료비 현금으로 삼백만원!

행인 : (놀라서 두 손을 들어서 저으며) 네?? 저 돈 없어요~

놀부 : (무대에 버려진 몽둥이를 집어 들어 손바닥에 툭툭 치면서 위협하듯이) 돈이 없어? 그라믄 우짤 수가 없제. 다리를 다시 원래맹키로 만들어 드려야 되것구마잉?

행인 : (벌벌 떨면서 두 손으로 막는 시늉을 하며) 저저저..저기... (호주머니에서 지갑을 꺼내며) 여기 제 지갑인디...

놀부 마누라 : (주머니에서 서류와 펜을 꺼내며) 지갑은 필요 없고 여기다가 서명하쑈!

행인 : (불안한 목소리로 서류와 펜을 받아들고) 이게 뭐요?

놀부 : 오늘부로 나한테 삼백만원 빚졌응께 대출서류에 서명해야제~
행인 : 대출서류요??

놀부 : (재촉하면서) 빨랑 써~ 이름 석자 쓰는디 뭐가 힘들어!

놀부 마누라가 행인에게 서류와 연필을 건네주고 행인은 겁에 질린 표정으로 놀부와 놀부마누라를 번갈아 보다가 손을 벌벌 떨면서 서류에 서명한다.

놀부 : (대출서류를 빼앗듯이 가져가며) 자! 다 되았응께 인자 가쑈! 그라고 나가 오늘 당신한테 베푼 은혜는 평생 잊지 마쑈잉?

행인 : (벌벌 떨면서 놀부와 놀부마누라를 번갈아 보며) 죽을라다가 살아났는디 잊을 리가 있겄습니까?

놀부마누라 : 한 달 안에 돈 안 갚으면 다음 달부터 이자가 200프로여잉~!!

행인 : (놀부마누라를 보고 울먹이면서) 하이고~ 저한테 왜 이러세요~

놀부 : 은혜를 받았응께 은혜를 갚아야지~ 볼 일 다 봤응께 얼른 무대 밖으로 사라지드라고.

행인 : (다리를 절뚝이며 무대 바깥으로 나가면서 어린애 같은 목소리로) 잉~ 우리 아빠한테 다 이를 거야!

행인이 다리를 절름거리며 힘없이 무대에서 사라진다.

놀부마누라 : (행인이 사라진 무대 바깥쪽을 바라보며) 뭐시여? 가만 본께 저 놈은 머리에도 깁스를 해야 되겄네잉.

놀부 : (무대 앞쪽으로 나서서 허리춤에서 커다란 통장을 꺼내면서) 난 부자 아빠를 꿈꾼다!!! 머니머니해도 머니가 최고여~!! (고개 돌려 놀부마누라를 보면서) 여보 마누라!!

놀부마누라 : (애교스럽게 놀부에게 다가가며) 네~~

놀부 : 아! 놀면 뭐혀~~!! 오늘 사람들이 이렇게 많이 모였응께 사업홍보 쪼까 해 번지드라고잉~~ 언능 준비한 거 나눠줘부러.

놀부마누라 : (가방에서 '200프로 싼이자 - 놀부머니' 광고지를 꺼내서 관객석에 골고루 나눠주며) 자! 싸다싸!! 무이자 대출 3개월!!! 4개월째부터는 연 200프로여~~!! 자 받아 받아!!

놀부 : 망설이지 말고 부담없이 빌려부러~~ (갑자기 무서운 표정으로 변하며) 근디 안 갚으면 아까 다리몽둥이 부러지는 거 봤제?

놀부마누라 : (놀부 쳐다보면서 답답하다는 듯이 손짓으로 말리며) 아따!! 그라고 겁줘불믄 누가 돈 빌린다요. 입 좀 다무쏘!!
[음향 : 03 메탈릭한 음악]

이때 메탈릭한 음악 소리가 나고 덩치1과 덩치2가 몽둥이를 들고 등장한다.

놀부와 놀부마누라는 이들을 보고 크게 당황하며 뒷걸음질 한다. 덩치1과 덩치2가 성큼성큼 놀부에게 다가간다.

덩치1 : (놀부를 뚫어지게 쳐다보고 잔뜩 인상을 찌푸리며) 야! 너냐?

놀부 : (겁먹은 표정으로) 누.. 누구신디...

덩치2 : (덩치1을 쳐다봤다가 다시 놀부를 보고 피식 웃으며) 누굴 것 같냐? 응?

이때 놀부 마누라는 무대 한쪽으로 도망쳐서 모르는 척 눈치만 보고 있다. 벌벌 떨면서 가끔 한 번씩 놀부 쪽을 힐끗힐끗 돌아보기만 한다.

놀부 : (겁먹은 표정으로 벌벌 떨면서) 아..아니...저..저기 한눈에 봐도 그분들이신디... 여기는 무슨 일로...

덩치1 : 우리 조직 이름이 다먹고파여. 그리고 우리 파의 보스가 오인분 형님이시다. 근디 그분의 아드님이신 오다리님께서 오늘 다리가 부러지셨거든~

놀부 : (깜짝 놀라서 두 손으로 입을 막으며) 예? 그분이 그러면..저저저 그건 제가 한 게 아니고...그..마..마...마당..

덩치2 : (피식 웃으며) 마당쇠? 그 마당쇠란 놈이 우리한테 찾아와서 다 불었으니까 괜히 꼼수 부리지 말고~

놀부 : (두 주먹을 불끈 쥐며 당장 마당쇠를 쫓아갈 기세로) 뭐요? 마당쇠 이놈이?

덩치1 : 자!! 받았던 대로 이자까지 쳐서 갚아줘야 하니까 넉넉하게 팔다리 모두 부러지는 걸로 하자잉?

놀부 : (무릎을 꿇으며) 아이고~ 형님들 형님들!! 그냥 우리 말로 합시다요~

덩치2 : (몽둥이로 자기 손바닥을 툭툭 치며) 자! 어디부터 작씬 부러뜨려줄까?

놀부 : (놀부마누라 쪽을 바라보며) 아이고 여보 마누라!!! 시방 뭐한가!! 이러다 나 죽겄네~!!

덩치1과 덩치2는 말소리는 내지 않고 몸짓으로만 놀부를 위협하며 때리려고 하고, 놀부는 무릎을 꿇은 채로 두 손을 싹싹 빌고 있는 시늉을 한다.

놀부마누라 : (정신이 번쩍 드는 듯) 아참! 내가 이러고 있을 때가 아니지. 정신 차리고.. (갑자기 허리춤에서 핸드폰을 꺼내 들고 놀부를 등지고 돌아서서 전화 버튼을 누르는 시늉을 하다가 큰 소리로) 여보쇼!! 거기 보험회사지라잉~ 우리 남편이 죽으믄 내 앞으로 얼마 나온다고 혔소? (고개를 계속 끄덕이며) 잉~ 잉!잉! (놀라는 표정으로 웃음지으며) 오매~~ 그렇게 많아?

놀부마누라가 크게 기뻐하는 얼굴로 한 손으로 '아싸'라고 외치듯이 몸동작 한다.

놀부 : (실망하는 표정으로 무대 바깥쪽으로 고개를 돌려 절박하게 소리치며) 아이고!! 내 동상 흥부 어디 있냐? 흥부야!! 놀부 형 좀 살려라!!

이 때 흥부와 흥부마누라가 급히 달려서 등장한다.

흥부 : (무릎 꿇고 있는 놀부를 발견하고) 아이고 형님!!!
흥부마누라 : 아이고 이게 뭔 일이래요~

놀부 : (흥부 쪽에게 기어가서 매달리며) 아이고 흥부야, 나 좀 살려주라. 이 사람들이 날 죽일라고 그런다~

흥부 : (덩치1과 덩치2를 번갈아 보며) 뭔 일인디 우리 형님을 이렇게 괴롭힌대요? 뭔 일인지 모르겄지만 제 얼굴을 봐서라도 놀부 형님의 잘못을 용서해주쑈. 예?
덩치1: (귀찮은 듯 인상을 잔뜩 찌푸리며) 당신은 또 뭐여?

흥부 : 제가 이 마당극에서 제일 착한 사람, 흥부 아니요? 한 번만 봐주쑈.

흥부마누라 : (자신의 얼굴을 가리키며) 아니면 제 미모를 봐서라도 좀 살려주쇼잉~

덩치2 : (흥부에게 다가가며) 착한 사람?? 미모?? (화가 난 표정으로 흥부마누라와 흥부를 번갈아 보며) 지금 장난치는 것이여 뭐시여?

덩치1 : (몽둥이를 허공에 휘두르는 시늉을 해서 겁을 주면서) 정 원하면 니 형님 대신에 니가 얻어 맞든가~

덩치2 : (갑자기 손을 들어 덩치1의 말을 중지시키고 흥부와 흥부 마누라를 이리저리 자세히 훑어보더니) 근디....잠깐만~ (다시 한 번 흥부와 흥부 마누라를 훑어보고는 고개를 갸우뚱거리며) 어디서 많이 본 페이스인디~ (덩치1을 보며 흥부와 흥부마누라를 손가락으로 가리키며) 저기 이 사람들 어디서 안 봤어? 많이 본 것 같은디~

덩치1 : (흥부와 흥부 마누라에게 다가가 얼굴을 자세히 훑어보고는) 오매!! 우리 사무실 건물주 같은디~

덩치2 : 그라지? 맞지? 나가 어디서 많이 본 거 같드라고~

흥부 : (덩치1과 덩치2를 위아래로 훑어보고는) 아니! 이 총각들은 우리 건물 사무실 302호 총각들 아니여? 근디 여기서 뭐하는 거여?

덩치1 : (당황한 표정으로 안절부절 못하며) 아니 그게 긍께... 저기 뭐시냐.. 시방 비즈니스 땜에 출장을 나와 갖고...

흥부마누라 : (팔을 걷어붙이는 시늉을 하며 큰소리로 따지면서) 비즈니스는 뭔 비즈니스여~? 잘 만났네! 월세 1년치 밀린 거 언능 갚어!

덩치2 : (두 손을 공손이 모으며 갑자기 착한 말투로) 사장님 사모님~ 저희가 사업상 쪼~끔 바빠가꼬~ 이따가 나중에 만나서...

흥부마누라 : (두 손을 옆구리에 얹고 따지듯이) 나중은 뭐가 나중이여~ 오늘 만난 김에 끝장을 봅시다! 월세 안 내면 사무실을 빼든가~!!!!!

덩치1 : (곤혹스럽지만 애써 웃는 표정으로) 어쩌깨라우 갑자기 바쁜 일이 생각나 가꼬 이만 가볼랍니다~

덩치2 : (눈치를 보며 무대 바깥쪽으로 뒷걸음치면서) 그럼.. 사장님 사모님 만수무강 하시고요...(덩치1에게 다그치듯이 손으로 밀며) 뭐하냐? 언능 안 가고..

덩치1 : (몸을 벌벌 떨면서 도망치며) 오매~ 세상에서 건물주가 제일 무서워!!
흥부마누라 : (도망치는 덩치1과 덩치2의 몇 걸음 쫓아가는 척하며) 만수무강이고 뭐고 월세나 갚아!!

덩치1과 덩치2가 도망치듯이 무대 바깥으로 퇴장한다. 흥부 마누라가 화가 아직 가시지 않은 표정으로 무대 안쪽으로 되돌아 온다.

흥부미누라 : (무대로 돌아오며) 징하네~ 월세 밀린 게 1년이 넘었구만

흥부 : (놀부에게 다가가 두 손으로 놀부 손을 잡으며) 형님!! 괜찮으십니까?

놀부 : (미안한 표정으로 울먹이며) 흥부야!! 나를 진정으로 위해주는 사람은 너밖에는 없구나. (거의 울듯이) 그동안 내가 너에게 너무 모질게 대했는디 니는 내가 밉지도 않냐?

흥부 : 형님! 밉기는요~ 저에게는 하나뿐인 형님이신데요. 인자부터는 나쁜 짓 하지 말고 나랑 같이 어려운 사람들을 도와주면서 착하게 삽시다요.

놀부 : (손으로 눈물을 훔치는 시늉을 하며) 니 말을 들으니 눈물이 날라고 그란다. 내가 내 욕심만 부리고 살다가 오늘 황천길 갈 뻔 했는디, 인자부터는 정신 차리고 너처럼 착하게 살아볼란다.

흥부마누라 : (놀부 얼굴을 빤히 보면서) 앗따~ 내일은 해가 서쪽에서 뜨겄소잉~ 작심삼일이라는디 나중에 딴소리하는 거 아니지라?

놀부 : (갑자기 정색을 하며 늠름하게) 글씨~ 내가 한 입으로 두 말할 사람인가? 두고 보면 알 거 아니여~ 내가 앞으로 나쁜 짓을 하면 벼락을 맞을 거여. 벼락을!!!

놀부의 말소리가 끝나자마자 천둥소리가 들린다.
[음향 : 04 천둥 소리]

놀부 : (깜짝 놀라서 두 손으로 머리를 가리고 두려운 표정으로 하늘을 올려다 보며) 음매!!

벼락 소리와 함께 모두가 일제히 깜짝 놀라며 자세를 낮추고 두리번거리며 하늘을 올려다 본다. 몇 초 동안의 고요함이 지나고 아무 일이 없자 모두가 밝게 웃음을 지으며 일어나서 관객석을 바라본다.
모두 : (환한 얼굴로 서로를 바라보면서 웃으며) 하하하하하하

놀부 : 아이구~ 맑은 하늘에 뭔 날벼락이여~ 두 번 죽을 뻔했네잉~ 허허.

놀부마누라 : 긍게 갑자기 벼락이 쳐서 하는 말인디... 꼴랑 공연시간 10분 정도 주면서 마당극을 하라니 번갯불에 콩 볶아 먹겄네요! 인자 지겨운께 언능 마무리 해봅시다. (무대 바깥쪽을 바라보고 큰소리로) 애 마당쇠야! 뭣하냐? 언능 마지막 멘트 날려라!!

무대 안으로 마당쇠가 달려와서 관객들을 바라보고 선다.

마당쇠 : 이런 일이 있은 후로 놀부와 흥부는 가난하고 어려운 이웃을 도와주며 행복하게 살았습니다요.
그라고 마당쇠는 이듬해에 과거시험에 합격하고 부자가 되어서 건넛마을 백설공주와 결혼해서 바닷속 용궁에서 평화롭고 행복하게 살았답니다.
이상으로 마당쇠의 행복한 인생 마당극 끝~~~~~~~~~~~~!!!

놀부 : (몽둥이를 들고 마당쇠를 한 대 때려줄 듯이 달려들며) 이놈이 그새 마당극 제목을 훔쳐가네 이놈이! 야 이놈아!!!
[음향 : 05연극끝음악]
마당쇠 : (몸을 숙이며 두 손을 들어서 몽둥이를 막으려는 시늉을 하며 큰 소리로) 착하게 산다면서요!
(머리를 숙여 팔로 감싼 채로 몽둥이로 가볍게 맞으면서)
벼락! 벼락!! 벼락친다~~~~~!!!

놀부가 몽둥이로 마당쇠와 장난하는 사이에 놀부마누라도 마당쇠에게 달려들어 밥주걱으로 가볍게 때리는 시늉을 한다. 마당쇠도 장난치며 아픈 시늉을 하다가 혓바닥을 날름거리며 재롱을 부린다. 흥부와 흥부마누라도 마당쇠에게 다가가서 꿀밤을 먹인다. 마당쇠도 장난치며 웃는다. 그런 마당쇠를 보면서 모두가 함께 웃는다.
흥겨운 음악과 함께 마당극이 마무리된다.

욕심, 인성교육, 청렴, 이웃사랑

우리 놀부가 달라졌어요.(B형)

♣ **공연 시간 약 10분 / 참여인원 6명 / 작가 : 콩트** blog.naver.com/**CCconte**

때 : 조선시대 어느 날

곳 : 놀부네 집

등장인물: 놀부/해설, 흥부, 마당쇠, 행인, 호랑이, 경호원/경찰

[음향 : 01 장구소리]

연극이 시작되면 무대 중앙으로 해설자가 걸어 나온다.

해설(놀부) : 옛날 아주 먼 옛날, 호랑이 담배 피던 시절의 이야기입니다.

[음향 : 02 범 내려온다 전주곡]

무대로 호랑이가 걸어 나온다.

호랑이 : (당당하게 걸어서 무대 중앙으로 나와 해설자 옆에 서며) 아~따~ 오늘 이야기는 바로 내 이야기구만... (활짝 웃으면서) 호랑이가 주인공이여~

해설(놀부) : (어이없다는 표정으로 호랑이를 바라보며) 아니 넌 뭐냐?

호랑이 : 호랑이 담배 피는 이야기라면서.... 내가 주인공 아니여?

해설(놀부) : (무대 한쪽을 바라보면서) 경호원!! 경호원!! 여기 좀 끌어내!

경호원이 나와서 호랑이를 끌고 간다.

호랑이 : (경호원에게 끌려가며) 아니 불러놓고 왜 쫓아내는 거여?

해설(놀부) : (다시 자세를 고쳐서 관중석을 바라보다가 슬쩍 호랑이 쪽을 바라보며) 이야기 시작하는데, 갑자기 호랑이는 왜 나오는 거여? (다시 관중석을 보며) 어쨌든 이 이야기는 여러분도 잘 아는 흥부 놀부 이야기인디~ 우리들 맘대로 바꿔부렀응께 한 번 재미있게들 봅시다.

무대의 중앙으로 흥부가 등장한다. 놀부는 흥부 옆에 가서 선다.

놀부 : 그랑께 흥부야~ 내가 니 말을 듣고 제비 다리를 부러뜨려서 부자가 될라고 했는데, 동네 사람이 동물학대죄로 고발하는 바람에 쫄딱 망해부렀다. 니가 책임 져라.

흥부 : 아니 행님이 멀쩡한 제비 다리를 부러뜨려서 그런 거죠. 저는 죄가 없어요.

놀부 : (울먹이면서) 그러면 니가 벌금 좀 내주라. 난 이제 빈털터리가 돼서 돈이 하나도 없어.

흥부 : 아이고~ 행님은 그래도 음식점 사업이 잘되잖아요~ 부대찌갠가 뭔가? 보쌈도 판다고 하던데요. 돈 많이 버시겠네요.

놀부 : 요즘 경제가 너무 안 좋아서 그거 다 손해여. 이것저것 떼고 나면 아무것도 없당께. 흥부야, 어찌 안 되겄냐? 그동안 내가 니랑 밥도 먹고 으이? 사우나도 가고 으이? 영화도 같이 보고 그랬는데? 자꾸 이럴 거여?

흥부 : 안돼요~ 저도 딸린 식구가 많아서 요즘은 정말 힘들어요. 행님께서 정직하게 일해서 돈 벌어서 갚으세요~ 저는 이만 갑니다.

놀부 : (울먹이면서 흥부를 붙잡으려고 따라가며) 아니, 흥부야~ 흥부야~~~

놀부는 흥부를 쫓아 가다가 다시 무대 중앙으로 나온다.

놀부 : 그래도 나가 형인디 너무 하네~ 고아원에는 기부도 엄청 많이 한다고 하더만....
(표정이 굳어지면서) 그렇다면 나도 어쩔 수 없지. 뭔가 다른 방법을 쓰는 수밖에...
(무대 한쪽을 바라보며) 마당쇠야~~!! 마당쇠야!!

마당쇠 : (목을 긁으면서 귀찮은 표정으로 나오다 기지개를 한껏 켜며) 뜨아~~!! 아따! 낮잠 좀 잡시다. 힘들어 죽겄는디...

놀부 : 뭐여~ 시방 잠이 오냐? 잔소리 말고 몽둥이나 하나 구해와라.

마당쇠 : 왜요?

놀부 : 구해오라면 구해와~ 따지지 말고...

마당쇠 : (무대 한쪽에서 몽둥이를 가져오며) 여기 있는디요.

놀부 : 아따~ 동작은 엄청 빠르구만~ 너는 지금부터 그 몽둥이를 들고 내 뒤를 졸졸 따라다니다가 좋은 차 타고 좋은 옷 입고 다니는 부자처럼 생긴 사람이 보이면 한 명만 골라서 몽둥이로 때려서 다리를 부러뜨리거라.

마당쇠 : 아니 왜 멀쩡한 사람 다리를 부러뜨려요?

놀부 : (달려가서 한 손으로 마당쇠를 때릴 듯이 위협하며) 하라면 할 것이지 무슨 말이 그리 많아? 실직하고 싶어?

마당쇠 : (놀라서 겁먹은 표정으로 두 손을 들어 방어하는 시늉을 하며 재빨리) 아뇨, 하라고 하시면 해야죠.

놀부 : (때리려는 동작을 거두며 뒷짐을 지고) 어서 가자!

놀부와 마당쇠가 무대에서 사라진다. 행인이 스마트폰을 보면서 무대로 등장한다.
스마트폰으로 셀카를 찍기도 하고 카톡을 하기도 한다.
갑자기 마당쇠가 몽둥이를 들고 나타나서 행인의 다리를 때리고 도망간다.

행인 : (쓰러지면서) 으악!! 내 다리!! (도망가는 마당쇠를 바라보면서) 아으 뭐야~~ 저 놈 잡아라!! (일어나려고 하지만 다리가 아파서 다시 쓰러진다.) 아악! 다리가 부러졌어. (뒤로 드러누우며) 아!! 누가 좀 도와주세요~!!

이 때, 놀부가 응급 가방을 들고 나타난다.

놀부 : 오매~ 무슨 일이시요? 다치셨소?

행인 : 누가 갑자기 나타나서 제 다리를 부러뜨렸어요.

놀부 : 제가 도와드리겠습니다. 가만히 계세요.

놀부가 붕대로 다리를 감아준다.

행인 : 감사합니다. 죄송하지만, 119 좀 불러주세요.

놀부 : 네, 잠시만요~ (스마트폰을 꺼내서 계산기를 두드리며) 치료비는 50만원입니다. 치료비를 먼저 내세요.

행인 : 뭐라구요? 뭐 이런 사람이 다 있어?

놀부 : (몽둥이를 꺼내서 손바닥을 두드리며) 어허! 치료비 계산하기 싫으세요? 그러면, 다시 원래대로 만들어 드려야지~

놀부가 몽둥이를 들어서 행인의 다리를 내리치려고 한다.

행인 : (손을 저으면서) 아니요, 아니요~ 저.. 여기 있습니다.

행인이 주머니에서 돈뭉치를 꺼내어 놀부에게 준다.

놀부 : (돈을 받아들고 돈을 세는 듯하며 행인을 발로 툭 차면서) 자! 그러면 이제 걸어서 집으로 가쑈!

행인 : (일어나서 쩔뚝거리며 걸어가면서) 아이구~ 뭔 저런 사기꾼이 다 있어. 아유 재수가 없으려니까 정말.... (무대에서 퇴장하면서 놀부를 돌아보며) 호랑이한테나 물려 가라!!
[음향 : 02 범 내려온다 전주곡]
행인이 사라지면서 갑자기 호랑이가 나타난다.

호랑이 : (무대의 중앙으로 달려와서) 거봐~ 이거 호랑이 이야기잖아. 이제 진짜로 내 차례다~!!

놀부 : (호랑이를 바라보면서 한심하다는 표정으로) 또 나타났네!

호랑이 : 이 이야기가 호랑이 이야기잖아. 드디어 주인공이 나타날 시간이야.

놀부 : (무대 바깥 쪽을 보면서 큰 소리로) 경비원!!!

경비원이 나타나서 호랑이를 끌고 간다.

호랑이 : (경비원에게 끌려가며) 내가 주인공인데~~

놀부 : 저 정신 없는 호랑이는 아까부터 왜 시도 때도 없이 나타나고 그러냐?

마당쇠가 무대로 등장한다.

놀부 : (마당쇠를 보면서) 봐라! 돈은 이렇게 버는 거야. 알았어?

마당쇠 : 세상 사람들이 모두 다 돈을 이렇게 벌면 참 볼만 하겠네요~

놀부 : 시끄러워!! 이제 난 부자가 되는 거야! 하하하하
(기뻐서 손을 번쩍 들면서) 난 이제 부자다~~!!
[음향 : 03 경찰 사이렌 소리]
이 때 경찰의 사이렌 소리가 들린다.

무대에 경찰과 행인이 등장한다. 행인은 다리를 절뚝거리며 들어온다.

행인 : (놀부를 가리키면서) 바로 저 사람입니다.

놀부는 매우 당황한다. 마당쇠는 뒤돌아서서 못 본 척하고 있다.

경찰(경비원) : (놀부에게 다가가서) 당신들을 사기 및 폭행 혐의로 체포합니다.

놀부 : 아니 무슨 말이세요? 저는 다친 사람을 치료해준 것 밖에 없어요~
(경찰을 뚫어지게 쳐다보며) 근디 당신은 우리 집 경비원 아니여? 경비원이 왜 경찰행세를 하고 난리여?

경찰(경비원) : 아니 그러니까~ 이 연극에 등장인물은 많은데 사람이 부족해서 미안하지만 1인 2역입니다. (경찰배지를 보여주며) 보세요. 지금은 경찰이에요. 보이시죠? 경찰배지!

마당쇠 : (경찰에게 몽둥이를 주면서 놀부를 가리키며) 경찰나으리~ 저는 놀부가 시켜서 이 몽둥이로 사람을 때렸습니다요. 죄를 지었으니 제가 책임지고 (놀부를 가리키며) 여기 놀부가 벌을 달게 받겠습니다.

경찰 : (놀부의 팔을 잡아 끌며) 자, 그럼 저와 함께 경찰서로 가시지요.

놀부 : 짬깐만~~~ 잠깐만, 잠깐만!! 지금 이 순간이 내 인생 최대의 위기여. 그래도 정신을 똑바로 차려야 해! 옛말에 호랑이 굴에 끌려가도 정신만 바짝 차리면 산다고 했어!
[음향 : 02 범내려온다 전주곡]

무대에 호랑이가 갑자기 등장한다.

호랑이 : (의기양양하게 등장하면서) 거봐~ 내 말이 맞지? 이 이야기는 호랑이 이야기가 틀림없어!

놀부 : (경찰을 보면서) 이봐! 경비원~~ ! 호랑이 체포하세요!

경찰이 경찰배지와 호랑이를 번갈아 보더니 잠시 당황한 듯이 서있다.

놀부 : 1인 2역이잖아! 지금은 경비원이까 빨리 호랑이 끌고 나가!

경비원 : 네???

놀부 : 빨리 끌고가 뭐해? 짤리고 싶어?

경비원 : 아! 네! (고개를 갸우뚱하면서 호랑이를 끌고 가며) 이상하게 꼬이네~~

경비원이 호랑이를 체포해서 끌고 나간다.

행인 : (경찰을 따라서 무대에서 사라지면서) 아이고 경찰 나으리~~ (놀부를 가리키면서) 이 사기꾼은 어쩌구요? 경찰 나으리!!!

이때 흥부가 나타난다.

흥부 : 형님, 이게 무슨 일입니까?

놀부 : 흥부야, 내가 사람들에게 사기를 쳐서 경찰이 날 잡아간댄다. 쪼금 있다가 다시 들이닥칠 텐디 이 일을 어쩌냐?

흥부 : 그러니까 왜 그런 나쁜 일을 하셨어요?

놀부 : 나도 남들처럼 부자 아빠가 되어보려고 그랬지. 나도 남들처럼 잘 살아보려고...

흥부 : 형님! 형님이 뭐가 부족해서 이러세요~ 형님은 이미 부자세요.

놀부 : 니가 몰라서 그렇지 다 은행 빚이야. 나 완전 빈털털이야.

흥부 : 너무 욕심을 부리셔서 그렇잖아요. 힘들수록 희망을 가지시고 좋은 일을 하면서 차곡차곡 모아가셔야죠.

놀부 : 이제 나는 쫄딱 망했다! 크게 한탕하려다가 감옥가게 생겼으니...

흥부 : 형님, 걱정하지 마세요. 제가 다친 사람에게 보상금을 주고 잘 달래 볼게요. 그리고 세상이 힘들다힘들다 하면 계속 힘들어지고 안 좋은 일만 생기는 거예요. 어려우면 어려울수록 밝은 생각하면서 긍정적으로 살아가세요.

놀부 : 고맙다. 흥부야~ 이제부터는 니 말대로 긍정적으로 잘 살아볼란다.

마당쇠 : (무대 중앙으로 가서 관객석 앞으로 불쑥 다가가며) 와~ 놀부 주인이 갑자기 착한 사람으로 변신하셨네요. 우리 친구들도 이 연극을 보고 긍정적인 생각으로 바르게 살아야 되겠다고 다짐해 봐요. 호랑이는 죽어서 가죽을 남기고 사람은 죽어서 이름을 남긴다고 하잖아요. 여러분은 어떤 이름을 남기고 싶으세요?

[효과음 : 02 범내려온다 전주곡]

호랑이가 다시 나타난다.

호랑이 : (의기양양하게 들어와서) 거봐! 내가 이럴 줄 알았어. 이거 호랑이 이야기가 맞다고 했지? 이 이야기의 크라이막스는 내가 장식하는 거여. 하하하하하

이때 경찰이 달려서 무대로 등장한다.

경찰 : (놀부를 향해 달려오더니) 자~ 이제 경찰서로 가주시죠.

놀부 : (경찰을 보면서) 경비원~~!!

경비원 : (차렷 자세로 눈을 동그랗게 뜨며) 네!!

놀부 : 끌어내!!

경비원이 호랑이를 끌어내려고 소란스럽게 한다.

놀부 : (무대 앞으로 재빨리 다가가서) 흥부와 놀부 이야기 여기서 끄읕~~!!

끌려가던 호랑이가 경비원의 팔을 뿌리치고 무대 중앙으로 나서서 놀부를 제친다.

호랑이 : 호랑이 이야기 끄읕!!

[음향 : 04 범내려온다 음악]
무대에 음악이 울려 퍼진다. 등장인물 모두가 무대로 나와서 인사한다.

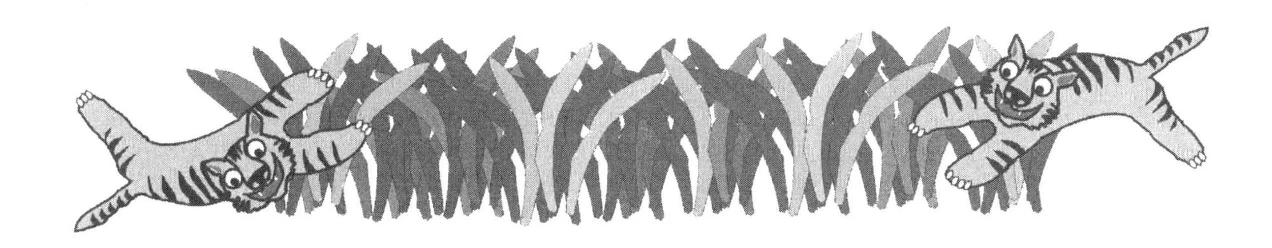

의견 존중, 타인 이해, 기후변화, 긍정적인 마음, 부모님의 사랑

장사의 비법

♣ 공연 시간 약 10분 / 참여인원 6명 / 작가 : 콩트 blog.naver.com/CCconte

때 : 옛날 한 옛날

곳 : 장터 모퉁이

등장인물 : 해설자, 할머니, 안성댁, 양팔이, 우팔이, 산신령

[음향 : 01 사극풍의 음악]

연극이 시작되면 해설자가 무대 중앙에 서서 관객들을 바라보고 선다.

해설자 : 안녕하세요. 저희는 우리나라 전래동화인 짚신과 나막신 이야기를 바탕으로 재미있는 이야기를 꾸며보았습니다. 연극에 등장하는 할머니는 두 아들의 어머니인데 매일매일 근심과 걱정 속에서 살아간다고 합니다. 도대체 무슨 일로 그렇게 걱정이 많은 걸까요? 그 궁금증을 풀기 위해 이야기 속으로 들어가 보겠습니다. 다 같이 가시죠.

해설자가 무대 바깥으로 나가고 잠시 후 할머니가 허리가 구부정한 채로 한 손에 뒷짐을 지고 하늘을 쳐다보면서 얼굴을 잔뜩 찌푸리고 나타난다.

할머니 : (원망스러운 얼굴로 고개들어 위쪽을 쳐다보면서 큰소리로) 이것이 뭐여!! 날씨가 왜 또 요모양이여 잉? 잔뜩 찌푸렸네 잔뜩 찌푸렸어.

할머니가 고개를 절레절레 저으며 무대 바깥 쪽으로 발걸음을 옮긴다. 갑자기 천둥소리가 난다.

[음향 : 02 천둥소리]

할머니 : (천둥소리에 뒤돌아서서 무대로 돌아오며 손을 앞으로 뻗으면서) 뭐여! 비 오는겨? 비 오네 비 와! 어매! 이를 어째! (무대 바깥쪽으로 사라지면서) 아이고 이놈의 팔자야! 맨날 비만 오네~ 맨날 비만 와!!! 하늘도 무심하지!

잠시 후 천둥소리가 그치고 새소리가 울려 퍼진다.

[음향 : 03 새소리]

무대 바깥으로 사라졌던 할머니가 다시 무대로 나와서 고개를 내밀고 위쪽을 쳐다본다.

할머니 : (하늘을 올려다 보며 눈이 휘둥그레져서) 뭐여!! 갑자기 왜 해가 뜬겨 잉? 해가 쨍쨍 비치네 아주!! 햇빛이 사정없이 쏟아지네! (무대 중앙으로 다가서며 다시 하늘을 올려다 보더니) 아니 승질나게 저 해는 뭐가 좋다고 저렇게 방긋 웃는겨~~ 아주 미워 죽~겠네~ 미워 죽겠어!! 쯧쯧 (무대 바깥으로 사라지면서) 아이고 이놈의 팔자야! 맨날 땡볕이네~ 맨날 땡볕이야~ 하늘도 무심하지!!

잠시 후 천둥소리가 들리고 무대에서 사라졌던 할머니가 또다시 무대로 나와서 위쪽을 바라본다.
[음향 : 04 천둥소리]

할머니 : (얼굴을 또 찌푸리며) 잉~ 그려~ 또 오냐? 또 와?? 그렇게도 내리더니 또 오네~ 이놈의 비가 아주 쫙쫙 쏟아지네~ 하늘에 구멍이라도 뚫렸나 뭔 비가 계속 와~~ 아이구~ 내 팔자야!

무대 한쪽에서 안성댁이 등장한다.

안성댁 : (할머니에게 성큼성큼 다가가며) 아이고~ 할머니~!! 아니 왜 그렇게 맨날 하늘을 보고 투정만 부리세요~ 날씨가 맑으면 맑다고 투덜투덜 흐리면 흐리다고 투덜투덜...

할머니 : 안성댁이 내 심정을 몰라서 그려~ 내가 속이 타서 그려 속이 타서!!

안성댁 : 아니 뭐가 그리 속이 타세요~

할머니 : 우리 첫째 아들이 양팔이, 둘째 아들이 우팔이 아닌가~

안성댁 : 그래서요?

할머니 : 맑은 날은 맑은 날대로 흐린 날은 흐린 날대로 아들 걱정 땜에 잠을 못 이뤄~

안성댁 : 아니 무슨 일이길래 잠까지 못 이루세요~

할머니 : (눈 앞에서 손을 휘휘 저으며) 아, 여러 말 할 필요 없고... 궁금하면 나랑 함께 가봄세~

안성댁 : 네?

할머니 : 어여 따라와~ 내가 보여줄 테니.

안성댁 : (곤란한 표정으로 어쩔 수 없이 따라 나서며) 저 지금 밭매러 가야 하는데...

[음향 : 05 빗소리]

할머니와 안성댁이 무대에서 사라진다.
잠시 후 무대에 양팔이가 삿갓을 가지고 등장한다.

양팔이 : (쏟아지는 비를 원망하듯이 하늘을 보면서 얼굴을 찌푸리고 관객석을 여기저기 보면서) 삿갓 사세요~~ 삿갓이요~~ 튼튼한 짚을 엮어서 만든 삿갓이요~~ 삿갓 사세요~~ (포기한 듯한 실망스러운 얼굴로) 어휴 이런!! 오늘은 비 때문에 장사하기 다 글렀네. 어린 자식들 죽이라도 먹여야 할 텐데 이거 큰일이네~ (가만히 생각에 잠긴 듯하더니) 에이!! 오늘은 동생한테 돈 좀 꿔야 되겠다.

양팔이가 무대에서 사라지고 잠시 후에 우팔이가 등장한다.

[음향 : 06 장터소리]

우팔이 : (한 손으로 햇볕을 가리듯이 이마에 대고) 어! 뭐야! 방금까지 비가 오더니 뚝 그쳤네! 비가 오니까 우산을 잔뜩 만들어서 나왔는데, 이걸 어떻게 다 팔지? (관객석을 향해서) 저기요~ 우산 좀 사주세요~ 질긴 천으로 만든 튼튼한 우산이요~ 저기요 우산 좀... (고개를 떨구면서) 에이!! 다 틀렸어. 해가 저렇게 쨍쨍하게 비추는데 이런 날씨에 우산을 살 사람이 없지. 형님께 돈이라도 꾸러 가야 되겠다.

우팔이가 무대에서 사라지고 잠시 후에 할머니와 안성댁이 등장한다.

할머니 : (안성댁의 손을 잡아서 끌고 오면서) 잘 봤지? 내가 이 꼴을 보면서 걱정이 없겠는가?

안성댁 : (이상하다는 듯이 하늘을 이리저리 훑어보며) 아니 근데~ 요즘 날씨가 참 이상하네요~ 왜 비가 왔다 안 왔다 해가 떴다 안 떴다 하죠?

할머니 : (안성댁을 보면서) 거 기후변환가 뭔가... (손을 내저으며) 아휴~~ 늙어서 고건 모르겄고~ 좌우지간 내가 이렇게 걱정하는 이유는 알겄지?

안성댁 : 네~ 할머니 제가 눈으로 똑똑히 봐서 잘 알겠는데, 그냥 반대로 생각하면 안 될까요?

할머니 : 어뜨케?

안성댁 : 그러니까 맑은 날에는 첫째 아들 삿갓이 잘 팔려서 좋고, 흐린 날에는 둘째 아들 우산이 잘 팔려서 좋겠구나~ 하고 생각하면 되잖아요.

할머니 : (무릎을 탁 치며) 아~~ 그렇지? 고걸 몰랐네.

안성댁 : 이제 해결 되셨죠?

할머니 : (빈정대듯이 화가 나는 투로) 암 그렇고 말고~ 이 늙은 것이 미련하고 노망나서 고걸 몰랐네~~~~~

안성댁 : 아니 그렇다고 그렇게까지...

할머니 : 옛날 이야기 우려먹을 생각 말게. 그렇게 마음 먹은다고 될 일이믄 내가 이렇게 걱정하겄는가?

안성댁 : 네?

할머니 : 궁금하면 다음 장면을 한 번 보고 야그 혀봐!!
[음향 : 07 경쾌한 장구소리]
할머니가 안성댁의 손목을 잡고 무대 밖으로 간다.

안성댁 : (할머니 손에 잡혀서 무대 밖으로 사라지면서) 나 지금 빨래하러 가야 되는데요~

할머니 : 아 잠자코 따라와 봐~~!!

할머니가 안성댁의 손을 잡고 무대 바깥으로 사라진다.

무대 한쪽에서 양팔이가 고개를 떨군 채로 털래털래 걸어서 등장한다.
이때 우팔이가 달려서 등장한다.

우팔이 : (애타게 부르며) 형님~~

양팔이 : (뒤돌아서 우팔이를 보면서) 응~ 너 왔냐? 그렇잖아도...내가...

우팔이 : 형님~!! 저기 급한데.. 저 돈 좀 꿔주실 수 있으세요?

양팔이 : 아니.. 돈은 내가 꿀 형편인데...

우팔이 : 형님 오늘 삿갓 장사 안 되셨어요? 오후 날씨가 맑던데.

양팔이 : 야~ 오늘 삿갓 팔러 나갔다가 비만 왕창 맞고 왔다. 그러는 너는 오늘 우산 좀 안 팔렸냐?

우팔이 : 아, 우산 팔러 나갔었죠. 그런데 잔뜩 준비해서 나갔더니 비가 딱 그치고 해가 떠서 하나도 못 팔았어요.

양팔이 : 나는 너만 믿고 오늘 오전에 장사 접었는데...

우팔이 : 갑자기 해가 뜨는데 어떡해요. 저도 장사 접었죠.

양팔이 : 그러게 너는 비오는 날이 일 년에 몇 번이나 된다고 우산 장사를 하냐?

우팔이 : 아이고 그런 말씀 마세요. 삿갓 10개 팔아도 우산 하나 파는 게 더 이익이 많아요.

양팔이 : 티끌 모아 태산이야~ 삿갓은 비만 안 오면 계속 팔려 나가는데~ 고깟거 우산 장사는 여름 한 철 장사에 몇 개나 팔려? 뭔 돈이 되기는 하냐?

우팔이 : 형님이 몰라서 그러시는데~ 우리나라도 이제 기후변화로 열대우림 기후가 된다구요~ 앞으로는 우산 장사가 더 전망이 밝아요~

양팔이 : 열대 우림은 무슨 열대 우림이여~ 나한테 열대 맞고 울래?

우팔이 : 형님은 그 썰렁한 개그 좀 그만하시고 공부 좀 하세요. 열대우림이 뭔지도 모르시면서...

양팔이 : 그래 형이 좀 무식하다~ 그렇게 유식한 놈이 오늘 장사 망했냐?

우팔이 : 답답하네요. 형님은 고깟 거 삿갓이나 팔면서 가난한 인생 사세요~ 저는 대박쳐서 성공하려니까.

양팔이 : (두 손으로 우팔이의 멱살을 잡으면서) 뭐야? 이놈이 형한테 뭔 말버릇이야?~ 우산 장사가 벼슬이냐?

우팔이 : (두 눈을 부릅뜨고 대들면서) 형님이 제 말 무시하니까 저도 화가 나잖아요.

양팔이 : (멱살 잡은 채로 무대 바깥으로 끌고 나가면서) 너 따라와!! 너 오늘 제대로 손 좀 보자.

우팔이 : (계속 대드는 말투로 무대 바깥으로 끌려가면서) 따라오라면 누가 무서울 줄 알아요?

양팔이와 우팔이가 무대에서 사라진다.

잠시 후에 할머니와 안성댁이 다시 무대로 등장한다. 할머니는 힘이 빠진 모습으로 어깨가 축 처져 있다.

할머니 : (힘없는 목소리로) 봤지? 내가 저 꼴을 보고도 마음 놓고 살겄는가?

안성댁 : (역시 힘없는 목소리로) 정말 그렇네요. 아무리 좋게 마음먹으려고 해도 이럴 때는 어쩔 수 없을 것 같아요.

할머니 : (가슴을 치면서 큰 소리로) 어이구!! 이놈의 팔자야!! 하늘도 무심하지!! 아이구 이놈의 팔자야!!

[음향 : 08 강한 메탈음악]

무대 한쪽에서 화려한 모자를 쓰고 커다란 헤드폰을 낀 곱슬머리 산신령이 등장한다.

산신령 : (무대에 등장하면서 우렁찬 목소리로) 어허!! 시끄러워 시끄러워! 시끄러워서 정신집중이 안돼~!!

할머니와 안성댁이 깜짝 놀라 돌아본다.

안성댁 : (겁을 먹어서 할머니를 와락 부둥켜 안고 떨리는 목소리로) 아니 누..누누...누구세요~

산신령 : (헤드폰을 벗으면서) 어허 이 신령스런 자태를 보고도 몰라? 이 이야기를 크라이막스로 이끌어줄 핵심 인물인 산신령이지.

할머니 : (어이가 없다는 듯이 안성댁을 옆으로 밀어내고 따지듯이) 아니 뭐라고? 산신령?

산신령 : 그래 누가 봐도 산!! 신!! 령!!

할머니 : (팔짱을 끼면서 조롱하듯이) 누가 봐도 산적 느낌이구만~

산신령 : 때끼! 산적이라니!

할머니 : (놀라지 않고 맞서면서) 관상을 보니까 산적 두목상이네~~

산신령 : (멋쩍어하며 약간 흥분을 가라앉히면서) 이거 봐~~ 할매! 내가 요즘 마음 수양 중이라서 제대로 못 씻어서 잠시 그렇게 보이는 거야~

할머니 : 근데 우리 집은 뭐할라고?

산신령 : (갑자기 기분 나빠졌다는듯) 이 할매가 산신령한테 반말이 좀 지나치네~

할머니 : (손가락으로 삿대질하며) 같이 늙어가는 처지에 반말하면 어때서?

산신령 : (서운하다는 듯이 따지며) 내가 이 뒷산에서 자그마치 오백 년 동안 도를 닦으면서 수양하고 있는 신령이야. 이제 신선이 되어 하늘로 승천할 일만 남았는데 할매가 하늘이 떠나가듯이 매일매일 시끄럽게 떠드니까 도대체 집중이 안 돼~~!! 사람들이 층간소음 층간소음해서 뭔가 했더니 딱 당해보니까 죽을 맛이라니까~~

할머니 : (멋쩍은 듯이 머리를 긁으면서 애써 시선을 피하면서) 아니 뭐~ 내가 그렇게 시끄러웠나?

안성댁 : 산신령이신지 아닌지는 모르겠지만, 여기 할머니께서 좀 그럴만한 이유가 있어요~

산신령 : 나도 다 알아!

안성댁 : 네? 어떻게요?

산신령 : 저 위에 가만히 앉아 있어봐. 이 할매 투덜거리는 소리 때문에 귀에 못이 박혔어.

안성댁 : 그러면 뭔가 좋은 방법이 있을까요?

산신령 : 당연히 있지.

안성댁 : 저... 정말로 방법이 있어요?

산신령 : 아주아주아주 간단한 방법이 있지.

할머니 : (갑자기 관심이 생겼다는 듯이 산신령을 휙 돌아보며) 그..그게 뭐여?

산신령 : 할매가 아까 나한테 산적이라고 했잖아. 알려주고 싶지 않아.

할머니 : (태도가 급변하며 두 손을 모으고 다가가서 애교 섞인 목소리로) 아이고~ 산신령님~ 소심하게 왜 그러셔~ 산적처럼 건강하게 보인다는 말인데 뭐 고거 같고~ 홍홍홍

산신령 : 할매 때문에 아주 사알짝 기분 나빴지만 그 시끄러운 소리 귀찮아서 내가 특별히 알려준다~ 다음부터는 시끄럽게 안 할 거지?

할머니 : (살포시 한 손에 주먹을 쥐고 어깨를 툭 한 번 때리는 시늉을 하며) 아이고 알았다구~~~

산신령 : 반말하지 말고!!

할머니 : 요!!!!!!

산신령 : (목을 가다듬으며) 어흠!! 그 방법은 뭐냐!!!

안성댁/할머니 : (귀를 쫑긋 세우면서 합창하듯) 뭐냐!!!!!

산신령 : 두 아들놈 장사를 서로 바꿔!

안성댁 : 네? 삿갓장사와 우산장사를 서로 바꾸라고요?

산신령 : 그래~ 서로 바꿔봐. 그럼 해결돼.

할머니 : 아니! 장사를 바꾼다고 날씨가 달라지는 것도 아닌데 뭐가 달라지는겨?

산신령 : 세상살이의 정답은 긍정적인 마음에 있어. 눈 딱 감고 한번 믿어봐!

할머니 : 꼬락서니 보면 별로 믿음이 안 가는데~~~

산신령 : 또 그런다!!! 믿고 안 믿고는 할매 마음대로 하시고~ 나 이제 신선 공부하러 가니까 제발 좀! 조용히 좀 해줘~~~~~ 또 떠들고 그러면 포도청에 민원 넣을 테니까~ 알아서 해! 바빠서 이만 간다~~~~ (무대 밖으로 사라지면서) 뿅!!!!

할머니 : (산신령의 뒷모습을 보면서) 뭔 산신령이 저렇게 품위가 없냐~? (안성댁을 보면서) 저 말을 믿어도 될까?

안성댁 : 밑져야 본전인데 한 번 믿어 보세요~

할머니 : 아들들한테 가서 말은 해보겠는데 내 말을 믿어 줄라나?

안성댁 : 산신령님 말대로 긍정적으로 생각해보세요. 좋은 일이 있겠죠.

할머니와 안성댁도 무대에서 사라진다.
[음향 : 09 새소리]
잠시후에 양팔이가 무대에 등장한다. 양팔이는 우산을 팔고 있다.

양팔이 : (비가 오는지 확인하듯이 손을 앞으로 내밀면서) 이게 뭐야? 비가 그쳤네~ 뭐야? 해가 뜨잖아. 해가 뜨면 삿갓을 팔아야 하는데~ 에이~!! 산신령 말을 믿고 우산을 가지고 나왔는데 이게 뭐야!! 어머니께서 산신령을 만났다더니 이제 보니 완전 사기꾼이네!

양팔이가 우산을 접고 무대 바깥쪽으로 나가려고 한다.

양팔이 : (우산을 접고 무대 바깥쪽으로 나가려다 뭔가 생각난듯이) 잠깐만! 우산이라는 게 꼭 비만 막을 수 있는 건 아니잖아. 이걸로 삿갓처럼 따가운 햇볕도 막으면 되지 않을까? (우산을 펼쳐서 들고) 어? 뭐야! 이걸 쓰니까 더 시원한데~ 비가 아니라 햇볕을 막으니까 이건 양산이라고 해야 되겠다. (다시 관객석을 향해 밝게 웃으면서) 양산 사세요~ 햇볕을 막을 수 있는 신제품 양산이에요~ (고개를 넙쭉넙쭉 숙이며) 네네 감사합니다. 양산 사세요~ 첨단 신제품이에요~

양팔이가 무대 바깥으로 퇴장한다. 이때, 무대에서 우팔이가 등장한다.

우팔이 : (삿갓을 내밀고 걸어 들어오면서) 삿갓 사세요~ (고개를 숙여 인사하며) 네~ 감사합니다. 삿갓이요~ 튼튼한 삿갓이요~ 감사합니다. 와~ 해가 쨍쨍 비치니까 삿갓이 잘 팔리는구나~ 삿갓 사세요~

천둥소리가 울린다.
[음향 : 10 천둥소리]

우팔이 : (갑자기 손을 앞으로 내밀면서 비가 오는지 확인하며) 이게 뭐야~ 삿갓 두 개 팔았는데 갑자기 비가 오네~ 맑았던 하늘에 왜 갑자기 비가 오지? 에이~ 산신령 말이라고 해서 믿었는데 아무 소용 없구만.

우팔이가 삿갓을 들고 무대 밖으로 나가려고 한다.

우팔이 : (삿갓을 들고 무대 밖으로 나오려다 갑자기 멈추며) 아~!! 이렇게 하면 어떨까? (무대로 다시 나오면서) 삿갓에다 들기름을 발라서 우산처럼 쓰고 머리와 몸에 두르고 다니는 거야. 음..그래! 이건 우비라고 하면 되겠다. (우비를 꺼내면서 관객석 쪽으로 향하며) 우비 사세요~ 머리에 쓰기만 하면 비를 맞아도 몸이 젖지 않습니다. 우비 사세요~ 우비 사세요~ 네~ 감사합니다. 우비 사세요~ 감사합니다~

양팔이가 등장해서 우비을 팔고 있는 우팔이 쪽으로 다가선다.

양팔이 : (두 손으로 우팔이의 손을 잡으면서) 우팔아! 내가 잘 못 생각했어. 내가 우산을 직접 팔아보니까 생각보다 수익이 짭짤하네. 그리고 밝은 색 우산을 햇볕을 가리는 양산으로 팔았더니 오늘 완전히 대박을 쳤다!!

우팔이 : (양팔이를 바라보면서 기쁨에 겨운 목소리로) 형님! 저도 잘 못 생각했어요. 오늘 삿갓으로 우비를 만들어 팔았더니 완전히 대박이 났습니다. 사람들이 신제품이라면서 비싼 가격에 사 갔어요.

양팔이 : 네가 어리다고 네 생각을 무시하고 너무 부정적으로 생각했었나봐. 내가 잘못했다.

우팔이 : 형님~ 형님이 저보다 나이가 많으셔서 낡은 생각만 한다고 생각하고 늘 부정적으로만 생각했나 봐요. 제가 더 잘못했어요.

양팔이 : 이왕 이렇게 된 거. 우리 함께 동업할래?

우팔이 : 네~ 형님! 해가 뜨나 비가 오나 우리 함께 장사로 일년 삼백육십오일 대박을 냅시다!

양팔이 : (우팔이를 와락 안으며)우팔아!!

우팔이 : (양팔이를 안으며) 형님!!!

양팔이와 우팔이는 무대 중앙에서 부둥켜안고 있고. 그 앞으로 해설자가 등장한다.

[음향 : 11 경쾌한 피아노 음악]

해설자 : (양팔이와 우팔이가 부둥켜안고 있는 모습을 보면서 진지하게 바라보며 천천히 걸어 들어오다가 관객 쪽을 향해 서서 양팔이와 우팔이를 손으로 가리키며) 얘들은 여기서 왜 이러는 걸까요? 장사에 실패하고 서로 다투던 형제가 이제는 서로 부둥켜안고 저렇게 좋아합니다. 이후 양팔이와 우팔이는 동업을 하게 되었고, 다른 사람의 의견이나 생각을 긍정적으로 받아들이는 열린 마음을 갖게 되었다고 하는데요.

여러분도 다른 사람의 생각이나 의견을 긍정적으로 받아들이려고 노력해 보세요.

생각지 못한 좋은 일들이 마구마구 생겨날 겁니다.

이걸로 장사의 비법 연극을 마칩니다.

사극풍의 음악이 흘러나오며 모든 등장인물들이 나와서 밝은 표정으로 인사한다.

[음향 : 12 사극풍 음악]

긍정적인 마음, 역사이야기, 마음 다스리기, 가정폭력

한민족의 역사 뒤집기

♣ **공연 시간 약 12분 / 참여인원 6-8명 / 작가 : 콩트** blog.naver.com/**CCconte**

때 : 조선시대 연산군 재위 시절

곳 : 경복궁

등장인물 : 역사강사 한민족, 연산군, 신하1/이방, 신하2/사또, 주정뱅, 주막내

연극이 시작되면 무대 중앙의 뒤쪽 의자에 연산군이 근엄한 표정으로 앉아있다. 그 양쪽 옆으로 신하1과 신하2가 연산군 쪽으로 고개를 조아리며 서 있다. 잠시 후 음악과 함께 역사가 한민족이 무대 중앙 앞쪽으로 등장한다.
한민족이 방송 진행용 큐카드를 보면서 프로그램을 진행한다.
[음향 : 01 오픈음악]

한민족 : (손을 앞으로 공손히 모아들고 설민석의 말투로) 우리 역사를 사랑하시는 대한민국 국민 여러분 안녕하십니까? 역사를 가르치는 역사 강사 한. 민. 족. 입니다. 이번에는 폭군인 연산군의 재위 시절을 중심으로 살펴보도록 하겠습니다. 조선시대를 통틀어서 가장 살기 좋았던 시절이 언제일까요?
네! 이상하게 들리실지 모르지만, 바로 연산군 즉위 이후 10년 동안의 기간입니다. 연산군은 처음에는 정치를 잘하려고 많이 노력했던 왕이었습니다. 그러나 1504년 갑자사화를 기점으로 완전히 망가지기 시작합니다.

한민족이 말을 마치자 연산군이 고개를 들어 한민족을 쏘아본다.

연산군 : (인상을 찌푸리며 한민족을 손가락으로 가리키며) 야! 저놈은 저기서 뭐라고 떠벌리는 거냐?

한민족이 연산군 쪽을 돌아보더니 깜짝 놀란다.

한민족 : (놀란 표정으로 연산군에게) 아니! 지금 제가 보이십니까?

신하1 : 네~ 전하~ 저놈이 떠벌리기를 전하께서 완전히 망가지셨다~~하였사옵니다.

신하2 : 네~ 저도 똑똑히 들었사옵니다.

연산군이 자리에서 매우 화가 난 표정으로 벌떡 일어난다.

연산군 : (심하게 인상을 찌푸리며) 뭐라?? 내가 망가져?

한민족 : (벌벌 떨면서 큐카드를 들어 보이며) 아니 그게 아니고 여기 방송 멘트에.....

연산군 : 감히 내 눈앞에서 나를 모욕해? 여봐라!!

신하1,2 : 네, 전하~~

연산군 : 당장 저자를 잡아다가 곤장을 치거라!

신하1,2 : 네, 명하신 대로 거행하겠나이다~~

한민족 : 아니 저는 그냥 역사를 강의하는 한민족 강사입니다.

신하1 : (한민족을 잡아가며) 시끄럽다!! 어디서 귀하신 분을 능멸하느냐!!!

신하2 : (왕의 옆에 서서 한민족을 바라보면서) 살아남기 어려울 것이다 이노옴!!

한민족 : (신하에게 끌려서 무대 밖으로 나가며) 아니 이게 아닌데.... 연산구~~운~~ 연산...

한민족이 신하1에 의해 무대 밖으로 끌려나가고 무대 바깥에서 비명소리가 들린다.

한민족 : (무대 바깥에서 목소리만) 으악!!!

신하1이 손에 묻은 것을 털어내듯이 손을 털며 들어와서 연산군 옆에 다시 머리를 조아리며 선다.
연산군이 화가 조금 풀리는 듯 크게 한숨을 쉬며 자리에 앉는다.

연산군 : (자리에 앉으며) 어찌 저런 이상한 자가 궁궐까지 들어와서 설친단 말이냐~

신하1 : 아무래도 북쪽 오랑캐의 첩자인 것 같사옵니다.

신하2 : 전하를 해하려는 불손한 자들의 소행인 것 같사옵니다.

연산군 : (마침 무슨 생각이 떠오른 듯) 그래~ 맞아. 그자들의 짓이다. 내 어머니를 죽게 한 자들... 틀림없이 그자들의 짓이야.

신하1 : 마...마... 맞사옵니다. 전하~ 저도 그렇게 생각하고 있었사옵니다.

신하2 : 네! 저..저...저도 그렇게 생각하고 있었사옵니다.

연산군 : 내 당장 저들을 잡아들여 엄벌할 것이다!!

신하1 : 전하~~ 옥체를 보존하시옵소서..

신하2 : 스트레스는 만병의 근원이니 부디 노여움을 푸소서~

연산군 : 내 어찌 노여움을 거둘 수 있겠느냐! 내 눈으로 어머니의 피 묻은 저고리를 봤어!!

신하1 : 황송하옵니다. 전하~~
신하2 : 황송하옵니다. 전하~~!!

연산군 : (자리에서 벌떡 일어서면서 오른손을 들어 눈앞에서 불끈 쥐면서) 어머니를 그렇게 만든 자들을 내 손으로 직접 염라대왕 앞에 보낼 것이다!!
[음향 : 02 연산군 퇴장 음악]

연산군이 무대 밖으로 사라진다. 신하들은 연산군의 뒤를 따라 무대에서 사라진다.

잠시 후 한민족이 고통스러운 듯 엉덩이를 붙잡고 절뚝거리며 등장한다.

한민족 : (고통스러운 표정으로 한쪽 다리를 절면서 등장하며) 아이고... 엉덩이야~~

한민족이 힘들게 무대 중앙으로 가서 한숨을 내 쉰 후에 큐카드를 보면서 진행한다.

한민족 : (아픈 것을 기어코 참는 듯한 표정으로 무대 중앙에 서서) 1504년에 있었던 갑자사화!! 억울하게 죽음을 맞이한 연산군의 어머니인 윤씨에 대한 복수를 위해 두 명의 후궁을 죽이고 두 명의 왕자들은 귀양을 보내게 됩니다. 또한 당시 어머니의 죽음과 관련된 대신들을 찾아내어 모조리 죽이는 사건이 벌어졌고 대신들의 자식이나 가족들 또는 친척들에 이르기까지 잔인한 죽음을 맞이하게 됩니다.
한민족의 역사 뒤집기 오늘 이 시간에는 갑자사화를 일으킨 연산군의 역사를 완전히 뒤집어 보도록 하겠습니다. 따라오시죠.

[음향 : 03 밤 깊은 소리]

한민족이 엉덩이를 부여잡고 많이 아픈 표정으로 다리를 절뚝거리면서 무대 밖으로 천천히 걸어 나간다.

잠시 후 연산군이 힘 있는 걸음으로 걸어들어와 무대의 의자에 앉는다. 깊은 생각에 잠기는 듯 한 손으로 이마를 짚고 골똘하게 생각에 잠기다가 고개를 끄덕이며 졸기 시작한다.

조금 있다 한민족이 역사책을 들고 연산군의 눈치를 보면서 살금살금 걸어서 무대로 들어와서 연산군 옆에 선다.

한민족 : (한 손으로 입을 가리고 속삭이듯이) 전하~~ 전하~~

연산군 : (졸고 있다가 깜짝 놀라 눈을 뜨고 한민족을 바라보면서) 웨..웨..웬놈이냐!!!

한민족 : 전하~ 전하께 긴히 말씀드릴 게 있어서 왔사옵니다.

연산군 : (두 눈을 크게 뜨고) 너는 아까 곤장을 맞은 그놈이 아니더냐!

한민족 : 네, 저는 우리 민족의 역사를 후손들에게 알려주는 역사 강사 한민족이옵니다.

연산군 : 한민족??

한민족 : 전하께서는 제가 제정신이 아닌 사람처럼 보이시겠지만, (역사책을 연산군 앞에 내밀며) 이 역사책을 보시면 제 말이 이해가 되실 것이옵니다.

연산군 : (역사책을 받아 들고 책을 이리저리 뒤집어 보면서) 아니 이게 역사책이라고?? 이 세상의 책이 아닌 것 같구나.

한민족 : 전하께서 하시는 일은 나중에 후손들이 역사책을 통해 다 알게 되옵니다.

연산군 : (신기하게 바라보며) 아니... 그렇다면 너는...

한민족 : 그렇습니다. 저는 미래에서 왔습니다. 어서 역사책을 읽어보시옵소서.

연산군이 손을 떨면서 매우 진지한 표정으로 역사책을 한 장 한 장 넘기면서 읽는다.

연산군 : (역사책을 한 장 한 장 넘겨보면서) 아니 이럴 수가!! (역사책을 또 한 장 한 장 넘겨가면서) 아니 이런...이런 일이!!! (계속 책장을 넘기며) 아니!! 내가 이렇게 되다니

갑자기 연산군이 역사책을 떨어뜨리고 충격을 받은 듯이 두 손으로 머리를 움켜잡는다.

연산군 : (두 손으로 머리를 움켜잡으며) 말도 안돼! 내가 그런 꼴을 당하다니...

한민족 : 역사책에 나온 내용은 하나도 빠짐없이 모두 이루어지게 될 것입니다.

연산군 : (멍하니 허공을 바라보면서) 그렇다면 내가 왕의 자리에서 쫓겨나서 결국 죽게 된다는 말이냐!!
한민족 : 그렇사옵니다.

연산군 : (갑자기 표정이 험악해지며 자리에서 벌떡 일어나면서) 내 이 역적놈들을 당장 쳐내겠다!!!

한민족 : (손을 들어 가라앉히듯이 허공을 쓸어내리며) 저...전하! 전하께서 마음을 바꾸지 않는 한, 곳곳에서 일어나는 반역은 막을 수 없으실 것입니다. 결국 똑같은 역사를 만들게 되십니다.

연산군 : (잠시 멈춰서 생각하다가 자리에 털썩 주저앉으며) 그러면 어찌하면 되느냐?

한민족 : 제가 들려드리는 역사 이야기를 잘 들으시고 생각을 바꾸셔야 합니다.

연산군 : 역사 이야기?

한민족 : 네! (스마트폰을 꺼내서 연산군과 함께 들여다보면서 스마트폰을 조작하며) 한민족의 역사고민상담소 유튜브 채널이 마련되어 있으니 저와 함께 시청하시면 되옵니다.

연산군 : 역사고민상담소??

한민족 : 네, 좋아요와 구독은 필수이고, 댓글 알림 설정까지 하면 땡큐입니다.

연산군 : 무슨 말인지 알아들을 수 없지만, 그렇게 할 테니 어서 이야기나 들려주거라.

[음향 : 04 옛이야기 음악]

연산군은 일어나서 한민족과 함께 스마트폰을 들여다보면서 무대의 한쪽으로 이동한 후 무대에서 일어나는 일을 같이 지켜본다.

사또가 무대로 등장하여 연산군이 앉아있던 자리에 앉는다. 이방이 갓을 쓴 채로 그 뒤를 따라 등장하여 사또의 옆에 고개를 조아리고 선다.

사또 : (우렁찬 소리로) 죄인을 들라하라!!

이방 : (고개를 숙이며) 네, 사또~~ (무대의 바깥쪽을 향해 소리치며) 죄인은 냉큼 들어오거라~~~

무대 한쪽에서 주정뱅이 술에 취한 듯이 비틀거리며 등장한다. 사또 앞으로 다가가서 죄인처럼 머리를 조아리고 선다.

주정뱅 : (머리를 조아리며 울먹이듯이) 억울하옵니다. 사또~~~~~~!!

이방 : (주정뱅을 보고 호통을 치며) 시끄럽다. 이놈!!!

사또 : (이방을 보면서 굵직한 목소리로 차분하게) 여봐라 이방~
이방 : 네, 사또~~

사또 : 이 자의 죄가 무엇이냐?

이방 : 네~ 이 자는 매일매일 술에 취해서 지나가는 사람을 때리고 물건을 부수는 등 폭행을 일삼았사옵니다.

사또 : 그래?? (주정뱅을 보면서) 그 말이 사실이냐?

이방 : (주정뱅을 보면서) 어서 사실대로 아뢰거라~~~

주정뱅 : 사또~~~! 기억이 나지 않사옵니다.

사또 : 기억이 나지 않는다???

주정뱅 : 네, 사또! 기억이 나지 않는데 어찌 잘못을 아뢰겠나이까?

사또 : (답답하다는 표정으로) 어허~ 그렇다면 이 자의 죄를 확인할 방법이 없구나.

이방 : 사또~ 이 자는 다른 사람들을 폭행하다가 그 자리에서 바로 체포되었기 때문에 증거가 따로 필요 없는 줄로 아뢰옵니다. 엄벌에 처하시옵소서~~

사또 : (다리를 꼬아 앉더니 품위 없는 평범한 목소리로 손가락질하며) 그러니까 요놈이 현행범이네~~ (이방을 보면서) 현행범 주제에 기억이 안 난다고 한 거 아니야~

이방 : 그리고 저자의 죄를 증언하는 국민신문고 청원 글이 오천 건이 넘었사옵니다.

사또 : 허! 이거 봐라~ 이 자의 죄가 하늘을 찌르는구나!!

주정뱅이 큰 소리로 통곡하며 무릎을 꿇고 머리를 조아린다.

주정뱅 : (무릎을 꿇으면서) 살려주시옵소서. 사또!!! 다시는 술을 먹지 않겠사옵니다.

사또 : 이 자를 데려다가 주리를 틀고 곤장 100대를 치도록 해라~ 판결 끝! 나가봐!

주정뱅이 두 눈을 부릅뜨고 자리에서 벌떡 일어나서 사또를 쳐다본다.

주정뱅 : (벌떡 일어서면서 큰 소리로) 사또 억울하옵니다. 이건 제 잘못이 아니옵니다.

이방 : (눈을 크게 뜨고 호통치듯이) 허허!! 무엄하다!!

사또 : (따지는 말투로) 너의 잘못이 아니면 누구의 잘못이더냐!!

주정뱅 : (관객 쪽으로 몸을 돌려 바라보면서) 제가 어렸을 때, 제 아버지는 매일매일 술에 취해서 집에 들어오셨습니다. 그럴 때마다 어머니와 아버지는 싸우셨고 아버지는 술주정이 더 심해져서 어머니와 저, 그리고 제 동생에게 폭행을...

주정뱅은 두 손으로 얼굴을 감싸고 어깨를 들썩이며 흐느낀다.

이방 : 사또~ 저자의 말을 귀담아 듣지 마시옵소서. 저놈이 잔꾀를 부리고 있사옵니다.

사또 : 어디 끝까지 들어보기나 하자.

주정뱅 : 사또~~ 저는 어린 시절 내내 아버지의 술주정과 폭력을 보고 자랐습니다. 그런 제가 어떻게 정상적으로 자라날 수 있었겠습니까? 제가 이렇게 죄를 짓게 된 것은 저의 잘못이 아니라 제 아버지의 잘못입니다. 죄를 물으신다면 제 아버지에게 물으십시오!

사또 : 그래? 그럼 너의 아버지를 데려다 죄를 물으면 되는 것이냐?

주정뱅 : (고개를 숙이며 자신 있게 큰소리로) 네~ 사또! 저는 아무 죄가 없으니 제 아버지의 죄를 물으셔야 합니다.

사또 : 그러면 너의 아버지가 너랑 똑같이 얘기하면 너의 할아버지를 데려와야 되겠네~

주정뱅 : (놀라는 눈빛으로) 네??

사또 : 너의 할아버지를 데려와서 너랑 똑같이 얘기하면 그다음은 무덤이라도 파야 되는 것이냐?

주정뱅 : (크게 당황하며) 그.. 그건...

사또 : 여봐라! 이방~~~~!!
이방 : 네~ 사또~

사또 : 이 자가 죄를 뉘우치지 않으니 데려다가 주리를 틀고 곤장 200대를 치도록 하거라.

이방 : 네~ 명하신 대로 하겠나이다~

주정뱅이 다시 넙쭉 엎드려 울먹이며 사또에게 간청한다.

주정뱅 : (다시 주지않듯이 무릎을 꿇으내) 사또!! 제가 죽을 죄를 지었나이다. 살려주소서 사또~~

갑자기 주막내가 무대로 급히 달려 나온다.

주막내 : (주정뱅 옆으로 달려가 사또 앞에 무릎을 꿇으며) 사또~~ 제 오라버니를 살려주시옵소서~~

사또 : (놀라면서) 아니 넌 누구냐?

주막내 : (사또를 바라보면서) 저는 죄인의 여동생 주막내이옵니다.

이방 : 어허~~ 이놈이 어디라고 함부로 들어와서 난리를 치느냐!

주막내 : 제 오라버니의 죄가 너무도 크오나 넓은 마음으로 헤아려주시옵소서.

사또 : (갑자기 주막내의 얼굴을 살펴보며) 아니! 주막내?? (기억을 더듬듯이 눈을 위로 뜨고 생각에 잠기다가) 아!! 주막내!!! 너는 우리 고을에서 어려운 처지에 있는 가정을 도와줘서 내가 큰 상을 내렸던 자가 아니냐?

이방 : (주막내의 얼굴을 들여다보며) 그.. 그렇고 보니 사또 말씀이 맞사옵니다.

주막내 : 네, 사또~ 제가 바로 그 주막내이옵니다.

사또 : 어떻게 너에게 저런 오라버니가 있는 것이냐?

주막내가 일어서서 관객석을 바라보며 이야기한다.

주막내 : 오라버니와 저는 어려서부터 아버지의 술주정과 폭력에 시달리며 자랐습니다. 불쌍한 저의 오라버니가 이렇게 삐뚤어지게 된 이유는 제가 오라버니를 제대로 보살피지 못한 탓이니 저를 대신 벌하여 주시옵소서~

주막내가 다시 사또 앞에 고개를 숙이고 선다.

사또 : 거 참 이상하구나. 같은 아버지 밑에서 자란 오누이가 이렇게 다를 수 있단 말이냐! 한 명은 제 아버지와 같이 술주정뱅이가 되어 사람들을 괴롭히고 다니고, 또 한 명은 가난과 폭력에 시달리는 사람들을 돌보는 선행을 하고 있으니 이게 어찌 된 일인 것이냐?

주막내 : 모든 것이 저의 탓이옵니다. 아버지가 그리 되신 것도, 그리고 오라버니가 이렇게 된 것도 제가 잘 보살펴드리지 못해서 벌어진 일이니 제가 그 벌을 다 받겠나이다.

사또 : (따뜻한 눈으로 주막내를 보면서) 정말 감동이구나! 이런 너에게 내 어찌 죄를 물을 수 있겠느냐?

이방 : 사또~~ 흔들리지 마시옵소서~
사또 : (이방을 본체만체하고) 이미 흔들렸어!!!

이방 : 사또~~~~~~~~~!!!!

사또 : 주막내 너의 따뜻한 마음에 내 더 이상 너의 오라버니의 죄를 묻지는 않겠다.

주막내 : 감사하옵니다. 사또~

사또 : 대신에! 오늘부터 네 오라버니의 술버릇을 네가 고쳐놓거라.

주막내 : 사또의 은혜가 하늘과 같사옵니다~

사또 : 그리고.... (주정뱅을 보면서 엄한 말투로) 주정뱅 네 이놈!!!

주정뱅 : 네~ 사사사...사또~~!!

사또 : 내 당장 너의 주리를 틀고 곤장 200대를 치려고 하였으나 네 누이의 마음에 감동하여 벌을 면해 주겠다.

주정뱅 : 사또의 은혜는 죽어서도 잊지 않을 것이옵니다. 사또~~~

사또 : 잊어도 돼! 잊어도 된다고~~ 다 잊어버리고 지금부터 네 누이를 하늘처럼 떠받들고 살아라. 알겠느냐!

주정뱅 : 알겠사옵니다. 사또! 명심하겠사옵니다.

사또 : (이방을 바라보며) 여봐라 이방!

이방 : (약간 불만있는 말투로) 네, 사또~

사또 : (귀찮은 듯이 눈을 질끈 감고 앞으로 손을 내저으며) 얘네들 다 풀어주고... 내가 오랜만에 말을 많이 했더니 목이 탄다. (손으로 술잔을 들이키는 시늉을 하며 장난스럽게) 술이나 먹으러 가자.

이방 : (매우 당황하며) 사또~~~ 이 분위기에 술을 마시면 체통이....

사또 : (의자에서 일어나 무대에서 나가면서) 괜찮아. 어서 따라와~ 한 잔 하게~

이방 : (주정뱅과 주막내의 눈치를 보다가 사또를 따라 나서면서) 사또~~

사또와 이방, 그리고 주정뱅과 주막내가 무대에서 사라진다.
모두 사라지자 연산군과 한민족이 무대의 중앙으로 걸어 나와 관객을 바라보며 선다.

한민족 : (연산군을 보면서 가볍게 미소 지으며) 이 이야기를 어떻게 보셨습니까? 전하~

연산군 : (크게 깨달은 듯하며) 어허~~ 이야기 속의 주정뱅을 보니 딱 내 꼴을 보는 것 같구나.

한민족 : 생각이 좀 바뀌셨습니까?

연산군 : (수염을 쓰다듬으며) 에헴!! 거.. 내가 그동안 세상을 너무 부정적으로만 본 것 같구나.

한민족 : 주막내처럼 힘든 역경 속에서도 좌절하지 않고 긍정적인 마음으로 노력하면 좋은 결과를 가져오게 됩니다.

연산군 : 내 오늘 너로 인해 큰 깨달음을 얻었구나. 앞으로는 내가 겪은 불행을 탓하지 않고 그 불행을 발판 삼아서 더 좋은 세상을 만들기 위해 노력하마.

한민족 : 망극하옵니다. 전하~

연산군 : 그런데 그.... 민족이 니가 손에 들고 보여준 그 거울 같은 게 뭐냐?

한민족 : 네~ 미래에 등장하는 스마트폰이라는 것이옵니다.

연산군 : 에헴헴...(마음이 있는 듯이 곁눈질로 넌지시 말하며) 정말 신기하고 재미있는 거울이더구나. 오늘을 기념하여 그 '숨었다뽕'인가 뭔가를 나에게 바치는 것이 어떻겠느냐?

한민족 : (매우 당황하며) 네?? 전하.. 그건 좀...

연산군 : (멀리 다른 곳을 바라보며 은근히 협박조로) 하늘과 같은 임금의 부탁이니 긍정적으로 좀 생각해보거라. 싫으면 곤장 100대 더 맞든지...

한민족 : (일부러 연산군의 말을 못들은 척 앞으로 한 발짝 나가서 관객들을 바라보며) 오늘 한민족의 역사 뒤집기 잘 보셨나요? 불행한 어린시절 때문에 왕이 된 이후 폭정을 일삼았던 연산군... 역사는 그를 폭군으로 기억하고 있습니다.

연산군 : (한민족의 팔을 잡아끌며) 이놈이 왕의 말을 거역하느냐?

한민족 : (연산군과 눈을 마주치지 않고 계속 멘트를 진행하며) 오늘 그는 마음속의 부정적인 생각을 몰아내고 긍정적인 생각으로 역사를 다시 쓰려고 하고 있습니다. 여러분은 어떠신가요? 역사 속에서 여러분은 어떤 사람으로 평가받고 싶으십니까? 이상으로 역사강사 한.민.족.이었습니다.

한민족이 말하는 동안 연산군이 한민족의 팔을 잡아당기거나 한민족을 때리려는 시늉도 했다가 다시 뒤돌아서 삐진 모습을 하다 다시 손가락으로 V자를 만들어 찌르려는 흉내를 내면서 한민족을 엄청 미워하는 몸짓을 한다.

음악과 함께 한민족이 무대 밖으로 퇴장하려 한다.
[음향 : 05 연극 끝 음악]
연산군 : (돌아서는 한민족의 어깨를 잡으며) 야! 한민족! 이 고얀놈!! 내 말이 안 들리느냐?

한민족은 연산군이 어깨를 잡자 잠시 얼음처럼 굳어서 걸음을 멈추더니 슬쩍 어깨를 튕겨서 손을 뿌리치며 다시 무대에서 빠른 걸음으로 퇴장한다.

연산군 : (잔뜩 불만에 가득 차서 비난하는 표정으로 관객석을 보며) 야~ 쪼잔... (돌아서서 한민족이 퇴장하는 쪽으로 쫓아가면서) 민족이 너! 내 말을 너무 부정적으로 받아들이지 말고~ 야!! 숨었다뿅 한번만~~~

한민족과 연산군이 무대에서 사라지고 연극이 끝난다.

친구사랑, 집단따돌림, 자긍심, 자신감, 파이팅

디자이너 S

♣ **공연 시간 약 12분 / 참여인원 6명 / 작가 : 콩트** blog.naver.com/**CCconte**

때 : 현재

곳 : YCDI예술학교 어느 교실

등장인물 : 선생님, 신 데렐라, 백 설공주, 원 더우먼, 라 푼젤,
신발회사 사장 나 이끼

[음향 : 01 밝은 아침이 연상되는 음악]

연극이 시작되면 무대의 한쪽에서 신데렐라가 등장한다. 신데렐라는 조용히 무대의 중앙으로 다가와서 차분한 말투로 관객들에게 이야기 한다.

신데렐라 : 여러분! 제 이름은 신 데렐라에요.

저는 지금 미국의 유명한 회사에서 수석디자이너로 일하고 있어요.

믿으실지 모르겠지만, 이 순간 저는 타임머신을 타고 시간의 벽을 건너서 제가 학교 다니던 시절로 와 있어요. 저는 ○학년 때 저에 대한 자신감과 희망을 모두 잃어버리고 절망 속에서 살았어요.

그러던 어느 날... 저에게는 생각지도 못한 너무도 특별한 일이 일어났어요. 그 일 덕택에 저의 생각은 밝고 긍정적으로 바뀌게 되었고 큰 성공을 이룰 수 있게 되었지요.

그런데.....

그런데 정말 이상한 점이 있어요. 그 시절 누군가가 그 특별한 일이 일어나도록 도와준 것 같은데, 그 사람이 누군지 모르겠어요.

평생을 살아가면서 그 사람이 누군지.... 도대체 무슨 일이 있었던 것인지 정말 궁금했거든요.

그래서 오늘 저는 첨단 과학의 힘을 빌어서 그 궁금증을 풀어보려고 결심했어요. 초등학교 시절에 나의 미래를 바꿔준 그 사람! 과연 누구일까요?

[음향 : 02 밝은 음악]

신데렐라가 무대에서 사라진다.

잠시 후 선생님이 앞장서고 이어서 백 설공주와 원 더우먼, 라 푼젤, 그리고 마지막으로 신 데렐라가 무대에 입장한다. 선생님은 무대 한쪽에서 비스듬히 관객 쪽을 바라보고 서고, 학생들은 각자의 자리에 앉는다.

선생님 : ○학년 ○반 친구들 안녕하세요~! 오늘도 즐거운 학교생활이 시작되었어요. 모두 왔는지 출석을 불러볼까요?

학생들 : 네~

선생님 : (관객 쪽을 바라보면서) 지금부터 진짜로 출석을 부를 거예요~ 자신의 이름이 불려지면 오른손을 번쩍 들고 '네!'하고 힘차게 대답합니다. 알았죠?

학생들 : 네!!

선생님 : 지금 진짜로 ○학년 ○반 학생들의 출석을 부릅니다. (실제 학급의 1번 학생 이름을 부르며) 1번 ○○○! (1번 학생이 이게 뭔 일인가 싶어서 대답하지 않으면 대답할 때까지 계속 반복한다.) 2번 ○○○! (대답할 때까지 이름을 계속 부른다.) 3번 ○○○!
네, 너무 많으니까 시간상 중간은 생략하고요~ 28번 백! 설공주!

백설공주 : (공주처럼 우아하게 일어나서 오른손을 예쁘게 들고 일부러 쥐어짜는 예쁜 목소리로) 네~~

선생님 : 와~! 설공주 목소리는 공주 같아요~ 다음은 29번 원! 더우먼!

원더우먼 : (벌떡 일어나서 팔을 하늘 높이 번쩍 들면서 우렁찬 목소리로) 네!!!!!

선생님 : 와~! 더우먼의 목소리는 씩씩해서 슈퍼히어로 같아요. 다음은 30번 라! 푼젤!

라푼젤 : (머리카락을 손에 잡고 빙빙돌리며 의자 위까지 올라가면서 길게 소리를 늘여 빼며)네~~~~~~~~~~~~~~~~~~~~

선생님 : 와~ 푼젤이는 언제나 대답하는 소리가 머리카락만큼 길구나! 짧은 커트로 부탁해~

라푼젤 : (이번에는 아주 빠른 동작으로 자리에서 펄쩍 뛰었다가 자리에 앉으면서 아주 짧은 목소리로) 넵!!

선생님 : 31번 오! 로라~!!

아무도 대답하지 않는다.

선생님 : (관객석을 살피면서) 오로라~!!

역시 아무도 대답하지 않는다.

선생님 : (심각한 표정으로 관객석 여기저기를 살피며) 오로라!!! 오로라는 아직 안 왔어요?

원더우먼 : (벌떡 일어서서) 선생님! 아침에 로라하고 같이 오려고 전화해봤는데 로라 엄마께서 로라가 아직도 잠자고 있다고, 한번 잠들면 끝이 없어서 앞으로 몇 달 뒤에 깨어날지 알 수 없대요.

선생님 : 아이고~ 로라는 왜 그렇게 잠이 많을까? 정말 걱정이다.

백설공주 : 맞아요! 지난번에 숲 체험학습 갔을 때에도 자기는 숲 속만 들어오면 잠이 온다고 하면서 벤치에 누워서 계속 잠만 잤어요. 자기가 무슨 잠자는 숲 속의 공주인 줄 아나봐요.

선생님 : 그래서 결국 119 불러서 집에 갔잖아~ 로라는 잠이 많아도 너~~무 많아!

라푼젤 : 선생님! 이제 공부해요~

선생님 : 아! 아직 남았어요. 출석 마저 부르고 공부해요. 마지막으로 지난 4월달에 전학 온 학생이죠. 31번 신! 사임당!

백설공주 : (손을 번쩍 들면서) 선생님! 신 사임당이 아니라 신 데렐라 아닌가요?
학생들 : (서로 마주 보고 웃는다) 하하하하하

선생님 : (당황하며 머리를 한번 긁고) 아!! 맞아요. 선생님이 작년 학생과 이름을 혼동했네요. 31번 신! 데렐라~~

신데렐라 : (부끄러운 표정으로 손을 절반쯤 들면서 작은 목소리로) 네~~

선생님 : 데렐라는 전학 온 지 한 달 정도 됐는데 아직도 어색한가 봐요~ 우리 친구들이 데렐라가 학교생활에 잘 적응할 수 있게 옆에서 잘 도와주세요~

학생들 : 네!!

선생님 : 오늘 1교시 미술시간은 생활 속의 다양한 상품을 디자인해 보도록 하겠어요~ 선생님은 잠시 오로라 어머님께 전화 좀 드리고 올게요~ 떠들지 말고 있어요~

학생들 : 네~!!

선생님이 무대에서 사라지자 백설공주가 일어서서 무대 중앙으로 나선다.
신데렐라는 그림을 그리는 일에 집중하고 있다.

백설공주 : (애들에게 손짓하면서) 야야야! 모여봐!

원더우먼과 라푼젤이 일어나서 백설공주에게 다가간다.

백설공주 : 애들아! 우리학교가 어떤 곳이냐~ 전 세계에서 알아주는 학생들이 모여 있는 그 이름도 유명한 YCDI예술학교란 말이야~

원더우먼 : (고개를 끄덕이며) 그렇지!

라푼젤 : 맞아!

백설공주 : 나로 말할 것 같으면 해마다 예쁜 어린이 선발대회에서 대상을 휩쓸 정도로 미모가 뛰어나지. 오죽하면 대기업에서 내 이름을 본따서 식용유, 설탕, 밀가루, 조미료 등등에 백설이라는 이름을 붙이겠냐고~

원더우먼 : 떡 이름에도 있잖아. 백설기떡

백설공주 : 그렇지. 내가 이렇게 유~명한 사람이란 말이야.

라푼젤 : 그래~ 설공주 너도 참 대단한 애라는 거 인정해. 그런데 나는 세계 어린이 미용대회에 나가서 영광의 황금상을 탄 사람이라구~ 나와 같은 사람이 있기 때문에 아름다움이 한층 업그레이드 될 수 있는 거야.

원더우먼 : 그래 푼젤이의 미용 실력은 내가 인정하지. 그런데 진정한 아름다움은 건강한 신체에서 나오는 거야. 나는 올해 세계 건강 피트니스 대회에서 챔피언을 할 정도로 건강미가 뛰어나다구~ 나야말로 세상사람들이 인정하는 원더풀한 아름다움을 지닌 사람이야.

백설공주 : 듣고 보니 우린 정말 명품 YCDI예술학교에 잘 어울리는 훌륭한 학생들이야. (신데렐라 쪽을 슬쩍 바라보더니) 그런데..언제부턴지 우리학교의 품격이 뚝 떨어지는 일이 생겼단 말이지.

신데렐라가 그림을 그리던 손을 멈추고 백설공주 쪽을 바라보더니 다시 고개를 떨구고는 표정이 어두워진 채로 불안한 듯이 힐끗거리며 아이들 눈치를 본다.

라푼젤 : 아~~ 알았다. 무슨 말인지 알겠어.

원더우먼 : 아~ 우리 학교에 어울리지 않는 학생이 전학 온 거~

신데렐라가 긴장되고 걱정되는 표정으로 아이들의 눈치를 계속 살피면서 말소리에 귀를 기울인다.

백설공주 : 이름이 뭐였더라~ 고릴라였나?

라푼젤 : 하ㅋㅋㅋ 웃긴다. 고릴라! 신고릴라!

원더우먼 : 하ㅋㅋㅋ 그래도 고릴라는 좀 너무했다~~ ㅋㅋㅋ

신데렐라는 충격을 받은 듯이 두 손으로 얼굴을 감싸고 괴로워하면서 무대 밖으로 도망치듯 나간다.

라푼젤 : (신데렐라가 나간 쪽을 바라보면서) 야~ 쟤 나간다. 우리 말소리 들었나 봐~

백설공주 : (신데렐라가 나간 쪽을 한번 슬쩍 보고는) 농담한 것 가지고 소심하기는... 걔는 왜 맨날 저렇게 시무룩해 있냐?

라푼젤 : 몰라~ 항상 어깨가 축 처져서 자신감도 없고~

원더우먼 : 야! 니들 작년에 전학 간 콩쥐 알지?

백설공주 : 아~ 알아. 심콩쥐!

원더우먼 : 며칠 전에 들었는데 신데렐라가 그 심콩쥐와 똑같은 처지인가 봐~ 어려서부터 집에서 하도 구박을 많이 받아서 무슨 일에나 자신감이 없고 소심한가 봐.

백설공주 : 오호~~ 그래? 그렇다면 더더욱 그냥 놔둘 수 없지. 우리가 누구냐?

라푼젤 : 콩쥐처럼 또 보내버리게?

백설공주 : 이대로 보고만 있을 수 없잖아. 우리 학교의 명예가 달린 문제야.

원더우먼 : 하긴 그렇지. 조금 괴롭더라도 어쩔 수 없어. 모두를 위한 일이야.

백설공주 : 그렇다면 작전 개시!!
[음향 : 03 결연하고 웅장한 음악]

백설공주와 라푼젤, 원더우먼도 무대에서 사라진다.

잠시 후 선생님이 '2주일 후'라고 쓰인 핸드백을 들고 나타난다. '2주일 후'라는 글자가 관객들에게 잘 보이도록 비춘 후에 핸드백을 탁자에 내려놓는다.

선생님 : (손목시계를 보면서) 어디 보자~ 애들이 음악실에서 올 때가 됐는데...

이때, 백설공주와 라푼젤, 원더우먼이 차례대로 들어오고 신데렐라가 힘없이 따라 들어와서 자리에 앉는다.

백설공주 : (무대로 등장하면서) 다녀왔습니다~

라푼젤/원더우먼 : (백설공주의 말에 바로 이어서) 다녀왔습니다~

선생님 : 자~ 자리에 바르게 앉아보세요~ 선생님이 여러분에게 안내할 사항이 생겼어요.

선생님의 말을 듣고 백설공주와 라푼젤, 원더우먼이 서로 마주 보며 궁금한 표정을 지으며 서로 수군거린다.

선생님 : (아이들이 다 자리에 앉고 난 후) 조금 전에 학교에 깜짝 놀랄 일이 생겼어요.

백설공주 : 깜짝 놀랄 일이요?

선생님 : 네, 미국에서 귀한 손님이 우리 학교를 직접 찾아오셨거든요.

라푼젤 : 미국에서요?

선생님 : 선생님이 설명하는 것보다는 이분을 직접 모시고 설명을 듣는 것이 좋겠어요. (무대 한쪽을 바라보면서) 회장님~ 이제 들어오셔도 됩니다~

[음향 : 04 메탈 음악]

무대 한쪽에서 나이끼 회장님이 종이봉투를 하나 들고 등장한다.

나이끼 : (외국인 특유의 부정확한 발음으로) 아녕 하세요우~ 음...죠는 미쿡에서 신발 회사를 운용하고 있습니다. 제 이룸은 나! 이끼 입니다. 성씨가 나씨에요. 이름은 이끼! 부모님이 한쿡 사람입니다.

선생님 : (관객석을 보면서 밝은 표정으로) 박수 좀 쳐주세요~ 반갑습니다~

학생들이 힘껏 박수를 치며 환호한다.

나이끼 : 오우 쵀가 여기에 온 이유는 얼마 존에 우리 회사에서 상표 디쟈인을 공모했는돼 여기 학교 ○학년 ○반에서 어누 분이 보낸 디쟈인이 대상쟉품으로 선정돼써 입니다.

선생님과 학생이 서로 얼굴을 마주 보면서 수군수군거린다.

나이끼 : (종이봉투를 열어서 나이키 상표 디자인을 관객에게 보여주면서) 바로 이 디쟈인인데 음.. 보낸 사람 이룸이 디자이너 S라고만 되어 있어소우 누구이신쥐 노무노무 궁굼해셔 찾아 왔숩니다.

백설공주 : (자리에서 벌떡 일어서며) 아~ 그러니까 신발 상표 디자인한 사람을 찾아오신 거네요~ 그 디자인이 그렇게 대단한 건가요?

나이끼 : 네! 이 상표는 앞으로 용원히 우리 회사의 디쟈인으로우 삼꼬 싶습니다. 그리고 이분이 누구인지는 모르지만, 이 디자이너분을 우리 회사에서 운용하는 디쟈이너 수쿨에서 계속 디쟈인 공부를 할 수 있게 하고 싶숩니다.

선생님 : 와!! 이건 우리 학교에 정말 영광스러운 일입니다. 이 상표를 공모전에 낸 학생이 누구일까요?

신데렐라 : (자리에 앉아서 손을 들듯 말듯하면서) 저...저기...

백설공주 : (갑자기 일어서며 큰 소리로 신데렐라의 말문을 막으며) 저는 누구인지 알겠는데요.

신데렐라가 깜짝 놀라는 표정으로 백설공주를 바라본다.

나이끼 : (기대하는 표정으로 백설공주를 바라보면서) 아! 그로면 누군지 조에게 알료 주세요

백설공주 : (자신만만한 표정으로) 그 상표를 공모전에 낸 사람은 당연히 바로 접니다.

신데렐라가 살짝 들었던 손을 내려서 손가락을 깨물며 실망하는 표정으로 고개를 숙인다.

나이끼 : 네? 죵말입니까? 그런데 디쟈이너 S라고 되어 있는데...

선생님 : 백설공주 너는 백씨니까 디자이너 B라고 해야 하는 거 아닌가?

백설공주 : 제 영어식 이름은 Snow White라구요~ 스노우화이트의 S자를 따서 디자이너 S라고 했죠.

선생님 : 그래? 말을 듣고 보니 그렇구나. 백설공주는 예쁜 학생이라고만 생각했는데 저런 실력이 있는 줄은 몰랐네~

백설공주 : 제 영어 이름이 Snow White라서 하얀 눈 위를 빠르게 달리는 스키를 형상화해서 만든 거라구요.

나이끼 : 아뉘 구런데~ 요기 디쟈인 작품 뒷면에 써놓운 설명에눈 스키라는 말운 죤혀 없는데요

신데렐라 : (다시 밝은 표정으로 나이끼 회장을 바라보면서 손을 약간 든 채로 작은 목소리로) 저기...저...

원더우먼 : (벌떡 일어나서 웃으면서 백설공주를 바라보면서) 에이! 뭐야~ 백설공주!! 장난은 그만하자. (나이끼 사장을 바라보면서) 저 작품의 주인이 누군지 다 알고 있잖아. 사실 그 작품을 공모전에 낸 사람은!!! (잠시 시간을 두고) 바로 저! 원더우먼입니다.

신데렐라가 다시 손을 거두고 실망스러운 표정으로 고개를 숙인다.

선생님 : 응? 원더우먼이 디자이너 S라고? 원더우먼은 원씨니까 W아닌가?

원더우먼 : 선생님~ 저는 Super Hero잖아요~ 슈퍼히어로의 앞글자 S를 따와서 디자이너 S라고 한 거라구요~

선생님 : 그렇게 말하니 또 말이 되네~

원더우먼 : 그 디자인은 제가 들고 다니는 채찍의 강한 에너지를 형상화한 거예요.

나이끼 : 아뉘아뉘 아뉜데요우! 요기 설명에는 채찍이라는 말도 네버네버 옵써요~

신데렐라 : (표정이 다시 밝아지면서 부끄러운 듯이 일어나면서 나이끼를 바라보면서) 저기...제가....

라푼젤 : (쿵하고 발을 힘껏 구르며 일어나면서) 더우먼~~!! 이제 그만해~

신데렐라가 다시 실망스러운 표정으로 주저앉는다.

라푼젤 : (큰 결심한 듯한 진지한 눈빛으로) 이제 사실을 제대로 밝힐 때가 됐잖아~ (관객들을 뚫어져라 쳐다보면서) 그 디자인을 공모전에 출품한 사람은 백설공주도, 원도우먼도 아닙니다. 전혀 생각지도 못한 의외의 사람이라고요!! (잠시 고개를 떨구었다가 다시 들면서 관객들을 쏘아보며) 그 사람은 바로!!!(약간의 시간을 두고) 저! 라푼젤입니다.

선생님 : 라...라푼젤 네가? 너는 성이 라씨니까 R로 시작해야 하는 거 아닌가?

라푼젤 : 선생님~ 라푼젤이 무슨 뜻인지 아세요?

선생님 : 글쎄? 무슨 뜻이지?

라푼젤 : 원래 라푼젤이라는 이름은 독일어인데 우리 말로 하면 '상추'라는 뜻이에요.

선생님 : (약간 놀란 듯이) 아! 그래?

라푼젤 : 저의 원래 한국 이름이 '상추'라는 말이죠.

선생님 : 오! 그..그렇구나. 그렇다면 상추라는 이름의 '상'을 영어로 하면 Sang니까 디자이너S가 맞다는 거지?

라푼젤 : 아니요!! 상추 하면 생각나는 게 바로 상추쌈이잖아요.

선생님 : (고개를 끄덕이며) 아! 그러니까 쌈을 영어로 하면 SSAM이니까 디자이너 S인거네~

라푼젤 : 선생님은 성격이 너무 급하세요. 상추쌈에는 삼겹살이 빠질 수 없죠. 저는 완전 삼겹살 매니아라구요. 그래서 삼겹살의 영어 앞 글자를 따와서 디자이너S 라고 이름을 붙인 거예요.

선생님 : 아이고 지친다, 지쳐! 그러면 그 디자인은 뭘 형상화한 거야?

라푼젤 : (긴 금발 머리카락을 잡아서 관객들 쪽으로 던지듯이 휘날리며) 저 디자인은 바로 저의 이 긴 금빛 머리카락이 바람에 휘날리는 모습을 형상화한 거예요.

나이끼 : (디자인 종이 뒷면을 다시 훑어보며) 오우~ 그런 말도 요기에는 네버네버 네버 옵숍니다.

백설공주 : (벌떡 일어나며) 그렇다면!!! 이제 결론은 딱 한 가지네요!

나이끼 : (깜짝 놀라며) 네??

백설공주 : 저희 세 명이 모두 디자이너 S가 아니라면 뭐겠어요?

선생님 : 너희 세 명이 아니라면 이제 남은 결론은 딱 하나이긴 한데...

백설공주 : 뻔하죠. 이제 결론은 하나!!

선생님 : 그렇지. 이제 하나만 남았네.

백설공주 : 결론은!!!

나이끼 : 결론은??

백설공주 : 바로 우리 반에는 디자이너S가 없다는 것이죠.

나이끼 : (살짝 당황하며) 그런데 주소에 YCDI학교 ○학년 ○반이라고....

백설공주 : 주소가 잘못된 거겠죠.

선생님 : 혹시 그렇다면.. 오로라가 보냈나?

원더우먼 : 오로라는 그때 잠든 이후로 3주일 동안 쭉 잠만 자고 있는데요~

선생님 : 그렇지? (나이끼를 바라보며) 아무래도 다른 반 학생이 보낸 것 같은데 다른 반 교실에 가서 물어보시는 게 좋을 것 같습니다.

나이끼 : (매우 실망한 표정으로) 오우~ 아마도 구런 것 같습니다. 다른 교실에 가소 물어봐야 되겠네요.

나이끼 회장이 무대에서 사라지려 한다.

신데렐라 : (용기를 내서 자리에서 벌떡 일어서면서) 잠깐만요!!!!

무대에서 사라지려던 나이끼 회장이 뒤돌아서 신데렐라를 보더니 다시 무대 안으로 들어온다.

나이끼 : (신데렐라를 바라보면서) 네~ 무순 할 말이라도...

신데렐라 : 그 디자인은 제가 했어요.

선생님과 학생들이 모두 크게 놀라는 표정을 짓는다.

선생님 : 가만 있어 봐! 신데렐라?? 너는 신씨이긴 한데 S자가 아니라 C 아닌가?

신데렐라 : 저도 제가 왜 디자이너 S인지는 모르겠어요. 그런데 그 디자인은...

라푼젤 : 선생님! 신데렐라 말은 그냥 무시하세요. 저 디자인을 신데렐라가 했을 리가 없잖아요.

선생님 : 신데렐라 너 정말 미국 신발회사의 디자인 공모전에 나간 적 있어?

신데렐라 : (자신 없이 고개를 떨구며 가로저으면서) 아니요.

백설공주 : 거 보세요! (헛웃음 치면서) 무슨 신데렐라가...말이 안 되지.

나이끼 : (다시 실망한 표정을 지으며) 그럼 죠는 바빠서 이만 가보겠습니다.

나이끼 회장이 다시 무대에서 나가려고 한다.

신데렐라 : (용기를 내서 갑자기 귀를 막은 채로 눈을 감으면서 큰소리로) 그 디자인은 우리나라 고무신을 형상화한 거예요.

나이끼 회장이 무대에서 퇴장하다가 깜짝 놀라서 다시 돌아서서 신데렐라에게 다가간다.

나이끼 : 방금 뭐...뭐라고 했숩니까?

신데렐라 : (나이끼를 바라보면서) 그 디자인은 우리나라 고무신의 모양을 본뜬 거라구요.

나이끼 : (디자인 종이 뒤쪽을 보면서 놀라운 표정으로) 맞아요!!! 고무쉰!!! 고무쉰입니다!! 한쿡 여인들의 구무쉰을 형상화 한곱니다!! 바로 당쉰이에요. 디쟈이너 S!!!! 죠랑 함께 가주세요!!

선생님 : 와! 이게 무슨 일이니? 우리 신데렐라가! 이렇게 훌륭한 일을 해낸 거야?

나이끼 회장이 신데렐라의 손을 잡고 무대에서 재빨리 사라지고 선생님과 학생들이 그 뒤를 이어 무대에서 사라진다. 비행기 이륙소리가 들린다.
[음향 : 05 비행기 이륙 소리]

잠시 후에 백설공주와 라푼젤, 원더우먼이 천천히 걸어서 무대로 등장한다.

백설공주 : (무대 한가운데로 천천히 걸어와서 원더우먼을 보면서) 신데렐라는 잘 갔어?
원더우먼 : 어제 미국으로 출국했대.

라푼젤 : 얼굴 표정이 많이 밝아진 것 같던데, 우리 작전이 잘 먹힌 것 같아.

백설공주 : 그러게~ 그림 실력이 그렇게 좋은 애가 자신감을 잃어서 자기 재능을 제대로 발휘하지 못했는데, 이제는 잘 됐다. 앞으로 자신감을 가지고 잘 살겠지?

라푼젤 : 그렇겠지. 우리처럼...

원더우먼 : 그런데, 그 디자이너 S에서 S의 뜻은 뭐야?

백설공주 : 아~ 그거? 애가 맨날 웃지도 않고 찡그리고 다니길래 좀 웃으라고 Smile을 줄여서 S라고 썼지.

원더우먼 : 아... 그런 뜻이었구나~

라푼젤 : 작년에 프랑스로 유학 간 심쿵쥐도 요즘 음악회를 열어서 사람들의 가슴을 심쿵하게 하나봐. 우리의 작전은 늘 성공이야.

백설공주 : 우리학교 이름이 YCDI학교잖아.

원더우먼 : 그렇지 You Can Do It의 줄임말이잖아.

백설공주 : 우리도 모두 부모님을 잃거나 함께 살지 못해서 한때는 방황하고 힘들었는데, 그 긍정적인 문구가 우리에게 큰 힘이 됐지.

라푼젤 : 그렇지. 맞아.

원더우먼 : 우리도 어려울 때 친구들의 도움을 받아 이만큼 자신감을 가지게 되었으니, 다른 사람들에게도 계속 베풀고 살자.

라푼젤 : 신데렐라가 우리가 한 일을 알까?

백설공주 : 글쎄~ 언젠가는 알게 되겠지. 자! 이제 작전 성공했으니 우리 집에 가서 사과나 깎아 먹자.

원더우먼 : 갑자기 웬 사과야?

백설공주 : 어제 어떤 할머니가 사과를 싸게 팔길래 한 바구니 사놨어.

라푼젤 : (걱정되는 표정으로) 할머니라고? 마귀할멈 아니야?

원더우먼 : (얼굴을 찡그리며) 왠지 모르지만 별로 먹고 싶지 않은데~

백설공주 : 빨갛게 잘 익은 먹음직스런 사과야. 보면 먹고 싶어질걸.

라푼젤 : (백설공주를 따라 나서며) 혹시 사과에 독이 있지 않을까? 왠지 걱정되는데~

백설공주 : (무대 바깥으로 걸어가며) 너희들은 매사에 너무 부정적이야. 세상을 긍정적으로 생각하고 살아.

원더우먼 : (역시 백설공주를 따라서 무대에서 사라지면서) 야! 어지간하면 사과말고 다른 거 먹자. (백설공주가 사라지는 것을 보면서) 야! 너 지난번에도 사과 잘못 먹고 병원에 실려 갔잖아. 야! 설공주!!!
[음향 : 06 감동적인 음악]

백설공주와 라푼젤이 사라진 뒤로 원더우먼은 백설공주를 부르며 무대에서 급히 사라진다.

모두 무대에서 사라지고 연극이 끝난다.

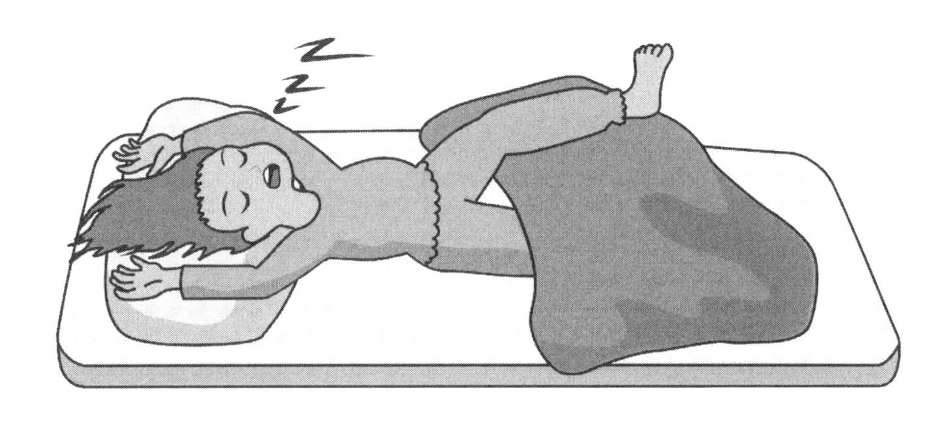

바른 마음, 곧은 마음, 정의, 준법, 정보통신윤리

어쩌나 어르신

♣ 공연 시간 약 12분 / 참여인원 7-10명 / 작가 : 콩트 blog.naver.com/CCconte

때 : 미래의 어느 날
곳 : 사이버 등급분류 센터
등장인물 : 80대 고두림, 10대 고두림, 20대 고두림, 40대 고두림,
고두림의 첫째딸 고지윤, 고두림의 둘째딸 고하은,
고두림의 손녀 고재인, 정준재, 차민현, 전태우/사회자

[음향 : 01 연극시작음악]
연극이 시작되면 밝은 음악과 함께 사회자가 무대로 등장한다.

사회자 : (큐카드를 보면서)시청자 여러분~ 방청객 여러분~ 안녕하십니까? tvNO(티비엔오)의 인기 프로그램 어쩌나 어르신의 시청률이 날로 성장하고 있습니다. 여러분의 성원에 힘입어 오늘은 정말 모시기 어려운 분을 이 자리에 모시게 되었습니다.
강남의 최고 비매너 비호감 재벌 할머니! 이 시대의 성공한 80세의 자산가 고두림씨를 모셔보겠습니다. 박수로 맞아주시기 바랍니다!!!
[음향 : 02 고두림등장]
밝고 경쾌한 음악과 함께 사회자는 퇴장하고 80대 고두림이 지팡이를 짚고 할머니 가발을 쓴 채로 인상을 쓰면서 무대에 등장한다.

고두림80 : (관객들을 향해 고함을 치며 뻐기듯이) 늙었다고 무시하지 말어!! 이래 뵈도 나는 800억 자산가야! 내가 강남에 가지고 있는 건물만 해서 30개야... 월세만 받아도 한 달에 수십억이지.

80대 고두림이 관객석 쪽으로 살짝 다가간다.
고두림80 : (두 손을 펼쳐서 머리 주변으로 올리며) 상상해봐!! 내가 어떻게 그 많은 재산을 모을 수 있었을까? 응?......(고개를 절레절레 흔들면서) 모르겠지? 절대 모르겠지?

80대 고두림이 자신 있고 당당한 모습으로 다시 뒤로 돌아서 제자리로 돌아와서 관객석 쪽으로 몸을 갑자기 돌린다.

고두림80 : (손가락으로 관객석을 가리키면서) 비법을 한마디로 말해주지! (가슴 쪽 심장 가까이 두 손으로 움켜쥐는 듯하다 땅에 쓰레기 버리듯 내팽개치는 흉내를 내면서) 양심을 버려!! 완전히 버려!! 그럼 성공해! (눈을 지그시 감고 고개를 절레절레 흔들면서 두 손의 검지손가락을 머리 옆에서 빙글빙글 돌린다.) 좀 혼란스럽고 믿기지 않지?

무대 한쪽으로 서서히 걸어서 이동한다. 무대 중앙은 텅 비어있다.

고두림80 : (무대 한쪽으로 걸어가면서) 그래서 지금부터 내가 걸어온 인생길을 부분부분 보여줄 거야. 다 보고 나면 내 말이 무슨 뜻인지 이해가 될걸. (걸걸한 목소리로 사악하게 웃는다) 히히히히... (손을 뻗어서 무대 중앙을 가리키면서) 자 한번 보라구~

10대 고두림이 막대사탕을 들고 무대로 등장한다.
무대에 등장해서 관객들 앞에서 다양한 포즈를 취하면서 멋을 부린다.

고두림80 : (그런 10대 고두림을 손으로 가리키면서) 저기 봐! 내가 초등학교 다닐 때의 모습이야. 귀엽지? 가끔씩 저 모습을 볼 때마다 너무 앙증맞아서 볼을 꽉 깨물어주고 싶어. 아주 아프게 말이야~ 앙!!!

고두림10 : (갑자기 한쪽 볼을 손으로 감싸쥐며 아픈 표정을 지으며) 아!! 갑자기 왜 볼이 아프지? 이상하네... (사탕을 보면서) 내가 오늘 사탕을 너무 많이 먹었나? (볼을 만졌던 손의 냄새를 맡으며 얼굴을 잔뜩 찌푸리면서) 으...냄새!! 이게 뭔 냄새야~~ (사탕을 바라보면서) 에이 이 사탕 썩었나 봐!! (사탕을 땅에 힘껏 버리며) 에이!! 재수 없어!!

고두림80 : (난감한 표정을 지으면서) 아이.. 뭐... 진짜 깨문 것도 아닌데.. 왜 이리 기분이 나쁘냐?

고두림80이 고두림10을 계속 지켜보고 있다. 고두림 10은 기분이 매우 나빠져서 냄새나는 손을 바지춤에 닦으며 얼굴 표정을 잔뜩 찌푸린다.

이때 갑자기 정준재가 무대로 등장한다.

정준재 : (고두림10을 발견하고) 어! 두림아!! 여기서 뭐 해?

고두림10 : 응? (바지춤에 손을 계속 닦다가 준재를 발견하고) 아..준재 왔구나?

정준재 : 손에 뭐라도 묻었어? 왜 손을 바지에 닦아?

고두림10 : (어색하게 둘러대며) 아~ 이거? 이게 그... 새로 나온 춤이야. 연습 좀 하느라고...

정준재 : 에이 무슨 춤이 그래? 꼭 손에 더러운 거라도 묻어서 바지에 닦는 것 같구만.

고두림10 : (시치미 때면서) 야! 무슨 말이야~~ 요즘 이 춤이 얼마나 유행하는데... 다시 한 번 보여줄까? 봐봐!
(볼에 무언가 묻은 것을 멋지게 닦아내는 손동작을 하다가 바지에 손을 닦아내는 듯한 멋진 동작을 창의적으로 잘 보여주면서) 원투쓰포 원투쓰리포...원투쓰리포 원투쓰리포!

정준재 : 어? 그럴 듯한데.. 좀 멋있다.

고두림10 : 내가 가르쳐줄 테니 따라 해봐.

정준재 : (사양하듯이 한 손을 흔들면서) 에이... 나는 몸치라서 춤 못 춰.

고두림10 : 내가 하는 대로만 그대로 따라 하면 돼. 잘하면 이따가 햄버거 사줄게.

정준재 : (얼굴이 매우 밝아지면서) 정말? 정말이지?

고두림10 : 내 말을 못 믿겠어? 나는 한번 약속하면 하늘이 두 쪽 나면 꼭 지켜. 애들한테 물어봐 내가 언제 약속을 안 지킨 적이 한 번이라도 두 번이라도 백 번 천번 만번이라도 있었다는 걸... 나 그 정도로 믿음이 가는 사람이라고. 알았어?

정준재 : (고두림10을 아주 한참을 멍하게 쳐다보다가) 응??.....

정준재가 고두림10이 말한 내용을 생각하면서 무표정하게 고두림10을 계속 바라보고 있다.

정준재 : (갑자기 박수를 치면서) 와우!!! 너 정말 대단한 애구나. 정말 믿음이 간다. 엄마가 보험하시니??

고두림10 : 그러니까 나를 믿고 지금부터 따라해 봐! (춤동작을 보여주면서) 원투쓰리포!

정준재 : (춤동작을 따라 하면서) 원투쓰리포!
고두림10 : (춤동작을 이어가면서) 원투쓰리포!
정준재 : (춤동작을 따라 하면서) 원투쓰리포!
고두림10 : (춤동작을 계속 이어가면서) 원투쓰리포!
정준재 : (역시 따라 하면서) 원투쓰리포!
고두림10 : 마지막 춤동작이야! 원투쓰리포!
정준재 : 원투쓰리포!

고두림10 : 이제 이어서 같이 해보자.

정준재 : 잘...못할 텐데...

고두림10 : 준비~ 시작~!! 원투쓰리포! 원투쓰리포! 원투쓰리포! 원투쓰리포!

정준재가 고두림10의 동작을 보고 그대로 따라한다.

고두림10 : (박수를 치면서) 오!! 잘했어!! 이제 너 혼자 해봐. 내가 동영상 찍어줄게. (주머니에서 스마트폰을 꺼낸다.)

정준재 : 뭐? 동영상?

고두림10 : (갑자기 인상을 찌푸리면서) 야! 너 춤 안 배워봤지.

정준재 : 응...

고두림10 : 너는 니 춤동작을 눈으로 볼 수 없잖아. 그러니까 내가 찍어서 보여주면 더 정확히 익힐 수 있잖아.

정준재 : 근데 왜 이 춤을 정확히 춰야 되는데?

고두림10 : 너 햄버거 먹기 싫어?

정준재 : 아니! 햄버거 먹고 싶어.

고두림10 : 그러면 아까 배운 대로 해봐. (스마트폰으로 촬영하면서) 준비! 시~~작!

정준재가 고두림의 박자에 맞춰서 어색하게 춤을 춘다.

고두림10 : 원투쓰리포, 원투쓰리포, 원투쓰리포, 원투쓰리포!! 자~알 했어!!

정준재 : 잘했어? 그러면...

고두림10 : (스마트폰으로 촬영한 영상을 보면서) 훌륭해!! 브라보!!

정준재 : 햄버거는 언제 먹어?

고두림10 : (스마트폰 영상을 빤히 쳐다보면서) 그런데 이 영상 말이야~~

정준재 : 응!

고두림10 : (고개를 들어 정준재를 바라보면서 의미심장한 웃음을 띠며) 우리만 보면 좀 아깝지 않아?

정준재 : (눈이 휘둥그레져서) 무... 무슨 말이야?

고두림10 : (스마트폰을 다시 들여다 보면서) 단톡에 올려서 다른 애들도 같이 보면 어떨까? 애들이 엄청 좋아할 텐데...

정준재 : 안돼! 안돼 그건!

고두림10 : 그런데 난... 이 영상을 올리고 싶단 말이지.

정준재 : 나.. 춤 못춰서 부끄럽단 말이야. 하지마!

고두림10 : 어쭈!! 누구한테 명령이야? (스마트폰을 조작하는 흉내를 내면서) 지금 당장 올릴까?

정준재 : 아...아니 하지 마! 아니! 하지...말았으면 좋겠어. 제발~~

고두림10 : 제발?? 그럼 햄버거는 니가 사라!

정준재 : 뭐? 아까 니가 사준다고 했잖아.

고두림10 : 방금 사정이 좀 바뀌었잖아.

정준재 : 야! 너 이런 애였어? 너무한다 정말..

고두림10 : 어? 너무해? 그러면 햄버거에 떡볶이 추가!

정준재 : 아... 아냐아냐! 너 너무 착해. 좋아.

고두림10 : 우선 햄버거 먹으면서 찬찬히 생각해 봐야 되겠다. 앞으로 어떻게 할 건지.

정준재 : 그.. 그래..

고두림10 : (어깨동무하고 무대 바깥으로 나가면서) 다른 애들에게 말하면 어떻게 되는지 알지?

정준재 : (고두림10과 함께 무대 바깥으로 나가면서) 응.. 아무 말 안 할게.

고두림10과 정준재가 무대 바깥으로 사라진다.

고두림80 : (관객석을 향해) 봤지? 초등학교 때의 내 모습. 저 때에 내 기억으로는 준재라는 저 애는 초등학교 졸업할 때까지 나에게 먹을 것과 돈을 바쳤지. 자기 엄마 몰래 엄마 지갑에서 돈을 훔치면서까지 말이야. 나의 이 뛰어난 지혜와 능력으로 아주 많은 아이들이 내 앞에 돈과 먹을 것을 바치도록 만들었지. 히히히히
(숨을 크게 들이쉬더니) 자~~~~~! 다음은 20대의 내 모습을 보라구. 얼마나 더 훌륭한지.

무대에 고두림20이 껌을 짝짝 씹으면서 스마트폰을 보면서 등장한다.
스마트폰으로 열심히 메세지를 보내고 있다.
[음향 : 03 고두림20 등장]
고두림20 : (스마트폰을 보면서 웃음 띤 얼굴로) 돈이 착착 들어오는구나~ 역시 난 재테크의 천재야!

이때, 차민현이 급하게 뛰어 들어온다.

차민현 : (무대에 달려서 들어오자마자 고두림80에게 다가가서) 야! 고두림!!

고두림80 : (귀찮은 듯이 손을 내저으면서) 야! 나 아니야. (손가락으로 고두림20을 가리키면서) 저쪽이야, 저쪽!!

차민현 : (머리를 긁적이면서) 아! 아니구나! (다시 고두림20쪽으로 훌쩍 달려가서) 야! 고두림!

고두림20 : (스마트폰을 하다가 차민현 쪽을 힐끗 쳐다보고 다시 스마트폰을 들여다 보면서 껌을 짝짝 씹으며) 응? 왜 그래?

차민현 : (억울한 표정으로 따지듯이) 너 어떻게 된 거야?

고두림20 : (여전히 스마트폰을 하면서) 내가 뭘?

차민현 : 너 어제 내 노트북 빌려 갔었잖아.

고두림20 : (잠시 고개를 들어 생각해보는 듯하더니) 그랬나? (다시 스마트폰을 보면서) 잘 기억이 안 나는데~

차민현 : 내 노트북에 있던 경제학 보고서! 니가 교수님에게 제출했다던데....

고두림20 : (차민현을 보면서) 경제학 보고서? 그거 오늘까지 제출하는 거잖아. 아직 안 냈어?

차민현 : (화난 목소리로) 내가 쓴 보고서를 니 이름으로 제출하면 어떡해?

고두림20 : (차민현을 뚫어져라 쳐다보며) 증거 있어?

차민현 : 그 보고서는 내가 거의 일주일 동안 잠도 제대로 못 자고 쓴 거야.

고두림20 : 글쎄~ 난 모르겠고... 억울하면 교수님께 가서 따지든지.

차민현 : 누림아! 왜 그래? 제발 이러지 마~~

고두림20 : 아!! 생각났다. 너... 어제 유튜브에 올린 곡 말이야. 그거 내 곡을 표절했더라. 그래서 방금 경찰에 고발하고 왔어.

차민현 : 뭐야? 그거 내가 만든 곡이야!

고두림20 : 아.. 그리고 너 노트북에 불법으로 영화랑 음악 다운로드 되어 있어서 그것도 함께 고발하고 왔어.

차민현 : 그것도 니가 어제 내 노트북 가져가서 불법다운 한 거잖아. 왜 이래?

고두림20 : (능청스럽게) 글쎄~~ 난 기억이 안 나서 모르겠고~ 이제 벌금 폭탄을 받든지 감옥에 들어가든지 알아서 해~~

차민현 : 두림아! 내가 뭘 잘못했다고 나한테 이래? 살려줘 제발~~

고두림20 : (팔짱을 끼면서 생각하듯이) 음... 뭘 잘못했다기 보다도 너는 너무 착하고 친절해서 문제지.

차민현 : (손을 모아 빌면서 간절한 표정으로) 두림아! 한 번만 봐주라. 응? 내가 이렇게 빌게.

고두림20 : (일부러 다른 곳을 보면서) 그럼... 성의껏 준비해 봐.. 난 선물을 좋아하거든...

차민현 : (눈을 크게 뜨고 고두림을 바라보면서) 선물???

고두림20 : (건방진 표정으로 차민현을 째려보면서) 그래...선물... 그런데 난 세종대왕보다는 신사임당을 매우매우 존경해. 아주아주 좋아하거든... 무슨 말인지 알지? (천천히 무대 바깥으로 걸음을 옮기면서) 자~알 생각해봐~

차민현 : (고두림의 뒷모습을 보다가 다시 관객 쪽을 보며 허탈한 표정으로 고개를 들어 생각에 잠기다가 다시 고두림을 따라 무대 바깥으로 사라지면서) 두림아!! 두림아!!

고두림과 차민현이 모두 무대에서 사라진다.

고두림80 : (손으로 무대 중앙을 가리키면서) 자! 어때? 20대의 내 모습~! 아~~주 아주아주 훌륭하지? 점점 머리가 더 총명해지고 있어. 하지만 저 때까지도 난 너무 순수했던 거야. 욕심이 너무 없었어. 그래서 난 더 똑똑해지려고 노력했지..... 자! 이제 40대의 내 모습을 지켜보라구.

고두림40이 스마트폰으로 통화하면서 무대로 등장한다.

[음향 : 04 고두림40 등장]

고두림40 : (스마트폰으로 통화하며) 여보세요~ 공병훈씨 되십니까? 중앙지검 우영우 검사입니다! 네! 지금 공병훈씨 통장이 범죄에 연루되어서 확인차 연락드렸습니다. 네~ 많~~이 걱정되시죠? 네~ 결백을 증명하시려면 제가 조금 있다 문자로 인터넷 주소 보내드릴 테니까요, 클릭하고 들어가셔서 앱 하나만 설치하고 연락 주세요. 네~~~

고두림40이 전화를 끊는다.

고두림40 : (기쁜 표정으로) 오케이~~ 또 하나 걸려들었고~~ (스마트폰으로 전화를 거는 시늉을 하면서) 그런데 전태우인가 뭔가 하는 사람은 왜 안 와? (스마트폰을 귀에 가져다 대면서) 여보세요~ 어디에요? 아~~ 이제 다 왔다고요? 얼른 오세요. 네~~~

고두림40이 전화를 끊고 주위를 두리번거리며 누군가를 찾는다. 이때 전태우가 종이가방을 든 채로 급히 달려 나타난다.

전태우 : (급히 달려와서 고두림에게 다가가 헐떡거리며) 저기요~~ 헉헉... 혹시 우영우 검사님이신가요? 아이고 힘들어...

고두림40 : (반갑게 맞아주면서) 네, 전태우님이시죠?

전태우 : 네, (종이가방을 내밀면서) 여기 계좌에 있던 3000만원 모두 뽑아서 가져왔습니다.

고두림40 : (종이가방을 받아 들고 방긋 웃으면서) 저 아니었으면 어쩔 뻔했어요~~ 범죄 일당에게 돈 다 털려서 고생하실 뻔하셨습니다.

전태우 : 아이고~ 우리 우영우 검사님 덕분에 살았습니다. 감사합니다.

고두림40 : 이제 걱정 마시고 제가 다시 전화 연락드릴 때까지 댁에 가셔서 기다리시면 됩니다.

전태우 : (고두림40에게 여러 번 고개를 숙여서 인사하면서) 그 돈 제 퇴직금이라서 없어지면 정말 큰 일 납니다. 잘 좀 부탁드립니다~

고두림40 : 걱정 마세요. 제가 누굽니까 중앙지검 우영우 검사입니다. 안전계좌에 넣어서 잘 보관해 두겠습니다. (무대에서 사라지면서) 그럼 제가 일이 바빠서 이만 가보겠습니다. 연락드릴게요~~

전태우 : (가슴을 쓸어내리며) 하마터면 큰~ 일 날 뻔했네. 그 돈이 어떤 돈인데...

고두림40이 무대에서 사라지고 전화벨 소리가 들린다.
[음향 : 05 스마트폰 진동소리]

전태우 : (전화를 받으면서) 여보세요~~ (잠시 여유를 두고) 네, 제가 전태우인데요... 네... 네...네??? 뭐라구요? 보이스피싱요? 그럼 제... 제 돈은 어떻게 되는 거예요?.......아!!! 아..안돼!!! (무대에서 급히 사라지면서) 내 돈!!! 내 돈!!!!

전태우가 급히 달려서 무대에서 사라진다.

고두림80 : (무대 가운데로 천천히 걸어가면서) 자~~ 어때? 정말 인텔리전트한 스킬~~이지? 내 인생의 한 장면들을 보면서 모두 감동을 받았을 거야. 40대까지 벌어들인 재산으로 나는 닥치는 대로 부동산을 샀어. 그리고 착하고 순박한 사람들을 홀려서 돈을 긁어모았지. 그래서 오늘날 나는 모두가 부러워하는 800억 자산가가 된 거야.
나처럼 되고 싶나?? 그럼 어떻게 하라고??? 그래!! 양심을 버려!! 그럼 너희도 나처럼 부~~자가 될 수 있다구. 음하하하하하하....(갑자기 가슴을 움켜잡으면서 고통스러운 표정으로) 윽...아..... 가슴이.... 아.... 가슴이....
[음향 : 06 구급차사이렌소리]

무대에 고재인, 고하은, 고지윤이 의자를 밀고 등장한다.
의자는 뒤로 누울 수 있도록 등받이가 눕혀져 있다.
고두림80이 가슴을 부여잡고 의자에 눕는다. 고두림80은 기절한 듯이 눈을 감는다.

고재인 : (잠시 후) 할머니!! 할머니!! 눈 좀 떠보세요.

고두림80 : (힘없이 눈을 뜨고 고재인과 고하은, 고지윤을 번갈아 바라보며) 여...여기가 어디냐?

고하은 : 엄마! 괜찮아? 여기는 병원이야.

고지윤 : 엄마 기억나? 어쩌나 어르신 녹화하다가 쓰러졌잖아.

고두림80 : (힘없는 목소리로) 아무래도 나 이대로 죽을 것 같아...

고하은 : 안돼 엄마!!! 이대로 가면 안 돼!

고지윤 : 이대로 우리를 놔두고 가면 어떡해!!

고재인 : 할머니!! 죽지 마. 할머니!!

고두림80 : 그래~ 너희들이 이렇게 나를 아껴주는 줄 몰랐다.

고하은 : 강남 건물 30채하고 수도권 땅 삼만 평, 시골 과수원 땅 십만 평 어떡할 거야. 유산은 나눠주고 가야지.

고지윤 : 맞아. 얼른 유언으로 유산 나눠주고 가. 그냥 가면 우리끼리 싸운단 말야.

고재인 : 할머니, 할머니가 가지고 있는 별똥전자 주식은 다 내가 가질 거야. 요즘 주식이 많이 떨어져서 얼마 안 돼.

고두림80 : (화가 나서 숨이 넘어갈 듯하면서 없는 힘을 쥐어짜며) 뭐라고??? 이 놈들이... 이놈들이.... 으...윽...

고두림이 숨을 거둔다.

고재인 : (고두림80을 흔들면서) 할머니!! 내 주식!!!

고하은 : 엄마!!! 엄마 이대로 죽으면 어떡해!!

고지윤 : 엄마 일어나봐!! 내가 큰딸이잖아. 나한테 더 주고 가야지~~ 이대로 가면 어떡해!!

고재인과 고하은, 고지윤이 울먹이면서 무대에서 빠르게 사라진다.

잠시 후 묵직한 음악과 함께 전태우가 화가 난 듯 무표정하고 싸늘한 얼굴로 무대로 등장하여 관객들 앞에 선다.

전태우는 손으로 뒷짐을 지고 마치 기계처럼 매우 바르게 서 있다.
무대 뒤쪽에는 여전히 고두림80이 눈을 감은 채로 꼼짝하지 않고 의자에 누워있다.

전태우 : (냉정하고 차가운 목소리로) 퍼스넬리티 가상 시뮬레이션 시스템 중지!!
[음향 : 07 시뮬레이션정지]
사이버 면접 시스템 중지를 알리는 안내방송과 기계의 작동이 중지되는 소리가 들린다.

전태우 : (매우 차갑고 단정한 목소리로) 고두림씨! 이제 일어나시죠.

고두림80이 천천히 눈을 뜨고 할머니 가발을 벗은 채로 자리에서 일어난다.

고두림80 : 여...여기가 어디죠?

전태우 : (뒤로 몸을 틀어서 고두림80을 바라보며 근엄한 표정으로) 여기는 사이버 등급분류 센터입니다.

고두림80 : 사이버 등급분류 센터???

전태우 : 오늘은 서기 2090년 10월 18일입니다. 기억 나시나요?

고두림80 : (무대 중앙으로 걸어 나오며 얼떨떨한 표정으로 주변을 두리번거리며) 2090년?? 내가 왜 여기 있는 거죠?

전태우 : 고두림씨는 퍼스넬리티 가상 시뮬레이션 프로그램으로 가상현실 속에서 단 5분 동안에 80년의 세월을 사셨습니다.

고두림80 : 5분 동안에 80년을 살아요??

전태우 : 아직 기억이 돌아오지 않으셨군요. 당신의 현재 나이는 26세!
이제 우리의 사회시스템을 위해 일할 나이가 되어 의무적으로 퍼스넬리티 가상 시뮬레이션 프로그램에 참여하게 된 겁니다.
5분 동안의 시뮬레이션을 거치면 당신이 어떤 사람인지, 그리고 이 사회에 이익이 될 사람인지 해를 끼치게 될 사람인지 판단할 수 있습니다.

고두림80 : (뭔가 기억이 난 듯 놀라며) 어... 맞아... 생각났어요.
전태우 : (고두림80을 바라보며) 당신의 등급은 아쉽게도 DDD등급입니다. 10년에 한 번 나올까 말까 한 최악의 등급이죠.
고두림80 : 아!! 아니에요. 제가 잘못 판단해서 그런 거예요. 다시 한번만 해보면 이제는 잘할 수 있어요.

전태우 : 방금 했던 시뮬레이션이 벌써 열 번째입니다.
이제 더 이상은 없습니다.
당신은 우리의 사회시스템에 참여하지 못하고 사막에 버려져서 혼자 살아가야 합니다. (천장 쪽을 보고 큰소리로) 시뮬레이션 번호 2090-PJ828486번 고! 두! 림! 안전펜스 바깥으로 방출을 명령합니다.

비상 경보가 울리고 정준재와 차민현이 등장한다. 정준재와 차민현은 고두림80을 체포하여 무대 바깥으로 끌고 나간다.
[음향 : 08 경보음]
고두림80 : (정준재와 차민현을 번갈아 보면서) 아니에요!!
이건 뭐가 잘못된 거예요.
한 번만!! 딱 한 번만 다시 해볼게요. 딱 한 번만이요!!!

고두림은 무대 바깥으로 끌려나간다.
전태우는 끌려나가는 고두림의 모습을 끝까지 바라보며 그윽한 표정으로 웃음 짓는다. 전태우가 걸어가서 무대 중앙의 앞쪽 관객석을 향해 선다.

전태우 : (관객석을 바라보면서) 여러분! 지금의 삶이 연극으로 보이지 않나요?
(손목시계를 보는 척하면서) 음...여기 모인 여러분도 이제 얼마 남지 않았네요.
(그윽한 표정으로 씽긋 웃으면서) 여러분도 잠시 후에 깨어날 겁니다.
80년이라는 세월은 단 5분의 시간처럼 지나가니까요.
잠시 후에 저와 만나요.
퍼스넬리티 가상 시뮬레이션 시스템!! 하하하하하

전태우는 웃음을 남친 채 천천히 걸어서 퇴장한다. 의미심장한 음악이 잔잔히 깔리며 연극이 끝난다.
[음향 : 09 연극끝음악]

<부록> 심콩 이야기

- 학예회 연극 -

- 심청전, 콩쥐팥쥐, 신데렐라, 백설공주, 개구리 왕자, 로미오와 줄리엣을 하나로 엮은 안전교육 동화 -

♣ 공연 시간 약 22분 / 참여인원 약 19명 / 작가 : 콩트 blog.naver.com/CCconte

때 : 옛날

장소 : 어느 마을

나오는 사람들

팥쥐, 팥쥐엄마, 심봉사, 심콩쥐, 마녀, 닥터 박(개구리), 스마트폰, 미스터 최, 왕자, 보디가드1, 보디가드2, 왕, 신하1, 신하2, 물동이, 손님1, 손님2, 손님3, 손님4...... *손님1~손님4.... 등등은 개별 대사가 없음. 춤을 잘 추는 사람으로 선정함.

제 1장 콩쥐

[음향 : 01콩팥송]

연극이 시작되면 신나는 음악 소리가 들리면서 무대 오른쪽에서 팥쥐 엄마가 흥겨운 표정으로 춤을 추면서 등장한다. 얼굴은 진하게 화장을 했으나 뺨에는 주근깨투성이에다 눈썹은 검고 짙으며 입술의 왼쪽 위에 큰 점이 하나 있다. 한참을 춤을 추다가 갑자기 주위를 두리번거리더니 표정이 어두워진다.

팥쥐 엄마 : (화가 난 표정으로) 요거 봐라~~ 요것이 그새를 못 참고 어디로 달아났네~ (고래고래 소리를 지르며) 애 콩쥐야!!! 야!!! 콩쥐!!!! 요 콩알만 한 게 어디를 간 거여!!! 틀림없이 어디 숨어서 자고 있거나 도망쳐서 놀고 있을 거여. (얼굴 앞에 주먹을 들어 불끈 쥐고) 잡히기만 해봐라.

팥쥐 엄마 : (관중석 쪽으로 걸어가서 무대의 오른쪽과 왼쪽을 서성이면서) 혹시 콩쥐 봤나? 콩쥐.... (무대의 다른 쪽으로 걸어가서 관중석 쪽에 묻듯이) 여보쇼~~ 콩쥐 봤소? 쪼끄만한 애! 콩알만한 애! 못생긴 애! 인중 길고 자세히 보면 코 밑에 콧수염도 났어! (관중석 쪽으로 귀를 기울이며) 어?.... 봤다고? 못 봤어? 봤어?

팥쥐 엄마 : (다시 주변을 살펴보며) 확 그냥 이것이 어디를 갔어? (관중석 쪽에서 멀어져서 다시 무대 이곳저곳을 돌아다니면서) 콩쥐야!!! 콩쥐야~~~!!

팥쥐가 무대에 등장한다. 얼굴은 다른 곳의 피부색과 다르게 허옇게 화장을 하고 앞머리는 헤어롤을 감았다.

팥쥐 : (어깨를 늘어뜨리고 눈을 반쯤 감은 상태에서 무대 가장자리에서 고개를 내 밀더니 힘껏 기지개를 켜면서) 뜨~~~~아~~~~

팥쥐는 방금 잠에서 깬 듯한 얼굴로 귀찮다는 듯이 비틀거리며 잠옷을 걸친 채로 베개를 들고 엉금엉금 걸어 나온다.

팥쥐 엄마 : (팥쥐를 발견하고 깜짝 놀라며) 음매 팥쥐야~!

팥쥐 : (귀찮은 표정으로 걸어 나오면서 목 언저리를 손으로 벅벅 긁어대고 짜증 나는 목소리로) 아휴~~ 시끄러워~ (갑자기 투정 부리듯 큰 소리로) 엄마!!! 지금 몇 신 줄 알아? (손목을 가리키며) 열두 시가 넘었는데 잠도 못 자게 떠들어!!

팥쥐 엄마 : (팥쥐를 보더니 바로 풀이 죽어서 미안한 듯한 웃는 얼굴로 팥쥐에게 조심히 다가가며) 아이구 아이구 팥쥐야~우리 새뀌~~ (팥쥐에게 다가가서 눈을 반쯤 감고 턱과 입술을 내밀며 거의 껴안듯이 손으로 쓰다듬으며) 엄마 때문에 깼쥐~~ 화났쥐?~~ 뮈안뮈안뮈아~~~~~안~~~

팥쥐는 여전히 화가 난 표정이지만 팔짱을 낀 채로 못 이기듯이 안기며 팥쥐 엄마의 반대편 쪽으로 몸을 휙 돌려 선다.

팥쥐 : (투덜거리는 말투로) 도대체 매너가 없어 매너가... 열 두 시가 넘었는데 이웃 사람들에게 창피하지도 않아? 도대체 엄마는 가정교육을 어떻게 받은 거야?

팥쥐 엄마 : (여전히 웃는 얼굴로 팥쥐의 눈치를 보면서) 아니 낮 열두 시까지 그렇게 깊은 잠을 자면 어떡하쥐~~ 해가 중천에 떴는데 일어나서 브런치 먹고 잠은 이따가 밤에 자야쥐~~~

팥쥐 : (엄마 쪽을 바라보며 답답하다는 표정으로) 엄마는 그 시대에 뒤떨어진 생활방식이 문제야~ 요즘 애들이 얼마나 바쁜데 밤에 잠을 자? 삶이 전쟁터인데 잠이 오겠어?

팔쥐 엄마 : (걱정스러운 표정으로 공감한다는 듯이 고개를 끄덕이면서) 맞아. 학교 끝나면 학원 가야지, 학원 끝나면 숙제해야지. 숙제 끝나면 독서해야지. (가슴을 치며) 하~ 그놈의 대학이 뭔지.... (주먹을 불끈 쥐고) 요즘 애들은 사는 게 전쟁이구나. 전쟁이여.

팔쥐 : (허리춤에서 스마트폰을 꺼내 들면서) 맞아! 어젯밤에도 배틀 하느라 한숨도 못 잤잖아. 졸려도 정신 똑바로 차려야지 피곤하다고 한눈팔면 바로 총 맞고 아웃이거덩. 하루 밤새에 죽다 살기를 몇 번 했는지 몰라. 헤드샷 안 당할려고 얼마나 뛰어다녔는지 손가락 아파 죽겠네.

팔쥐는 스마트폰을 들여다보자 다시 스마트폰에 몰입하면서 손가락으로 열심히 스마트폰을 두드린다.

팔쥐 엄마 : (허탈한 표정으로 고개를 끄덕이더니 스마트폰을 가리키며) 아~~ 그러니께 그 전쟁이라는 것이 고거여? (매우 실망스러운 표정으로 고개를 끄덕이며) 이~~잉 그러면 그렇지... 전쟁인가 젠장인가 밤마다 스마트폰으로 고거 하느라고 엄청 힘들었구만~

팔쥐 : (엄마 쪽은 관심도 없다는 듯이 스마트폰을 이리저리 조작하면서) 조용히 해봐. 나 지금 느닷없이 전쟁 시작했어. 엄청 진지해. (스마트폰에 완전히 몰입하며 통쾌한 표정으로) 우후~~ 예~~!! 아싸~!! 하나 잡았고...

팔쥐 엄마 : (팔쥐를 등진 후 답답한 듯한 표정을 짓고 가슴을 두드리며 울먹이는 소리로) 아이고~~ 가슴이야~~ 아이고~~ (팔쥐 쪽을 힐끔 쳐다보고는) 저게 뭐가 될라고... 에휴~~ 하여튼 대한민국은 이놈의 교육정책이 문제여~

이때, 무대 왼쪽에서 선글라스를 쓴 심봉사가 지팡이를 두드리며 종종걸음으로 천천히 등장한다. 헬멧과 팔꿈치, 무릎 보호대까지 완벽하게 갖추었다.
화려한 옷차림에 허리춤에는 스마트폰을 차고 있고 스마트폰에는 네비게이션이 작동 중이다.
심봉사가 등장하는 모습을 팔쥐 엄마가 바라보고 있다.

[효과음 : 02심봉사 등장]

네비게이션 : '잠시 후 과속 방지턱이 있습니다. 서행하세요~ (잠시 후) 목적지에 도착했습니다. 길 안내를 종료합니다.

심봉사 : (무대 가운데로 나서서 허공을 손으로 조심히 더듬거리며 나이 지긋한 할아버지 톤의 목소리로) 아니 집안 분위기가 왜 이렇게 우울혀~ 또 드라마 본겨?

팥쥐는 무대 가장자리로 옮겨가며 여전히 게임에 열중하고 있다.

팥쥐 엄마 : 드라마는 무슨 드라마~~~! 팥쥐 조게 맨날 잠도 안 자고 게임만 하니까 걱정되어서 그렇지.

심봉사 : (인상을 찡그리며) 뭐여? 잠도 안 자고 게임을 혀?

팥쥐 엄마 : 그렇다니께요~

심봉사 : (한심하다는 표정으로) 어이구~ 내년에 중학교 갈 텐디 철이 덜 들었어~ 앞이 캄캄~하다! 앞이 캄캄혀~!! 어두워~~!!

팥쥐 엄마 : (어이없다는 표정으로) 당신은 눈이 멀었응께 앞이 캄캄한 게 정상 아니우?

심봉사 : (갑자기 정신이 들어서) 그런데 우리 콩쥐는 어디 갔나? 콩아~~~ 콩아~~~ 심 콩~~~!!

팥쥐 엄마 : (허리춤에 두 손을 올리고 비꼬는 말투로) 글쎄요~~ 저도 궁금하네요. 어디를 갔는지~~

심봉사 : (지팡이로 더듬대며 무대 오른쪽으로 종종걸음을 옮기며) 콩아~~~ 우리 콩아~~~ 심코옹~~~!!!

무대 오른쪽에서 빨래바구니를 머리에 이고 콩쥐가 나타난다.
콩쥐는 매우 피곤한 표정으로 등장해서 심봉사를 보고 반가운 표정을 짓는다.

콩쥐 : (빨래바구니를 그 자리에 내려놓고 심봉사에게 급히 다가가며) 아버지~~

심봉사 : (깜짝 놀라서 제자리에 서며) 아이고 우리 콩이가 거기 있었구나. 콩아~~

콩쥐 : (한쪽 팔을 부축하고 무대 중앙으로 다시 나오며) 아버지~ 힘드신데 왜 나오세요~

심봉사는 콩쥐의 머리와 어깨를 쓰다듬으며 안쓰러운 표정을 짓는다. 팥쥐 엄마가 콩쥐 쪽을 힐끔 바라보더니 못마땅한 표정으로 콩쥐에게 손가락질해댄다.

팥쥐 엄마 : (혼잣말로 조용히 투덜거리며) 흥! 또 어디서 놀다 왔겠지~ 일하는 척! 빨래를 들고 다녀왔네!

심봉사 : (콩쥐의 머리를 더듬거리며) 콩아~ 우리 콩이가 맞지? 어이구~ 불쌍한 것~~!!

팥쥐 엄마 : (입을 삐죽대며 조용한 소리로 투덜대듯이) 불쌍하기는 무슨.... 집이 없나~ 가족이 없나? 편하고 배부르니 게을러 터져 가지고.... (심콩을 가리키며 목소리를 가다듬고 큰소리로 다정한 척) 콩쥐야~~~ 이리 좀 와 봐라~~

콩쥐 : (팥쥐 엄마의 눈치를 살피며 겁먹은 표정으로) 네?

팥쥐 엄마 : (이를 꽉 다물고 가득 찬 분노를 참으며 강한 말투로) 얼른! (자신의 강한 말투에 스스로 깜짝 놀라 심봉사의 눈치를 보며 다시 다정하게) 이리 와보라고~~

콩쥐 : (심봉사의 얼굴을 한 번 돌아보더니 다시 팥쥐 엄마를 바라보고 다가서며) 네~~

팥쥐 엄마는 다가오는 콩쥐의 손을 급히 낚아채듯 잡아당긴다.

심봉사 : (콩쥐가 품에서 멀어지자 약간 불안한 듯한 표정으로 허공을 손으로 더듬으며) 아니 왜?

팥쥐 엄마 : (콩쥐가 미워서 얼굴에 잔뜩 힘을 주고 손으로 콩쥐의 머리를 쥐어박으며 말소리는 일부러 곱게 하여) 아이고~~ 콩쥐는 왜 이리 이쁠까? 빨래하느라 고생이 많았지? (손가락으로 팔을 집어 뜯는 듯이 잡아당기지만 여전히 말소리는 부드럽게 하여) 팔 아프겠네~

콩쥐 : (괴로운 표정으로) 아~~!!

팥쥐 엄마 : 쪼그려 앉아서 하느라 (발로 콩쥐 다리를 걷어차며) 다리도 아프고~~

콩쥐 : (고통스러운 표정으로) 아~~!!

팥쥐 엄마 : (손으로 목을 조르려고 하면서) 목도 아프지?
콩쥐 : (두 손을 들어 아니라고 휘저으며) 아니에요~~ 아프지 않아요.
팥쥐 엄마 : (두 손을 들고 목을 조르듯 다가가며) 많이 힘들었을 텐데 내가 안마라도 좀 해줄까?
콩쥐 : (겁먹은 표정으로 두 손을 더 힘껏 저으며) 아니에요. 하나도 힘들지 않아요.

팥쥐 엄마 : (손을 거둬들여 팔짱을 끼고 몸을 획 돌려 콩쥐를 등지더니) 아~ 난 또.... 점심때가 되었는데 점심상이 아직 안 차려져서 말이야~ 힘들고 바빠서 그러나 하고~~
콩쥐 : (팥쥐 엄마에게 허리를 여러 번 굽실거리며) 얼른 점심상 차릴게요. 어머님~~

팥쥐 엄마 : (여전히 콩쥐를 등진 채로 팔짱 낀 한 손을 풀어서 귀찮다는 듯이 콩쥐에게 얼른 상 차려 오라는 듯이 손짓하면서 거짓스러운 상냥한 말투로) 이 엄마가 차릴 테니 넌 좀 쉬어라~ 많이 힘들었을 텐데...
콩쥐 : (겁먹은 표정으로 재빨리 무대 왼쪽으로 사라지면서) 아니에요. 어머님~ 제가 금방 차려서 올릴게요. 조금만 기다리세요~~

심봉사 : (매우 흐뭇한 표정으로 팥쥐 엄마 들으라는 듯이) 우리 콩쥐를 진심으로 아껴주고 생각해주는 사람은 당신 밖에 없소~

팥쥐 엄마 : (으스대듯이) 그럼요~ 제가 어~얼마나 콩쥐를 예뻐하는데요~ 호호호
심봉사 : (감동을 받은 듯이 울먹거리면서 한 손으로 눈물을 훔치는 듯하며) 당신같이 착한 사람이 앞도 못 보는 소경인 나에게 와줘서 정말로 고맙소~

팥쥐 엄마 : (매우 흡족하여 몸을 흔들거리며) 아이구 뭐~ 말이 나와서 하는 말인디.... 마을사람들은 내가 당신 돈 보고 같이 산다고 하는디... 오해여, 오해!!
심봉사 : (고개를 끄덕이면서) 그렇지 오해여 오해~~!!

팥쥐 엄마 : 그라고... 나 같은 새엄마가 어디 있나요? 내 딸도 아닌데 친자식처럼 먹여주고 입혀주고 보살펴주고.... 동네 사람들은 내가 콩쥐를 때리고 발로 차고 구박한다고 가짜 뉴스를 퍼뜨리는디... 내가 만약 그렇게 했으면 저는 그런 나쁜 짓하고는 하루도 못 살아요. 그냥 콱 죽어야지.

심봉사는 고개를 끄덕인다. 이 때 무대 한 쪽에서 열심히 게임을 하던 팥쥐가 갑자기 흥분한 표정으로 스마트폰을 바라본다.

팥쥐 : (신나는 말투로) 죽어라. 죽어~~~~!!
팥쥐 엄마 : (팥쥐의 말소리와 함께 깜짝 놀라 그 자리에 주저앉으며) 어머!! 뭔 소리니 애는~!!

팥쥐 : (갑자기 허탈한 표정으로) 으악!!! 뭐야!! 죽었네. 죽었어!
팥쥐 엄마 : (겁먹은 표정으로 당황하면서 일어나며) 뭐.. 뭐시여? 죽기는 누가 죽어? (가슴을 움켜쥐며) 나 안 죽어~~

팥쥐 : (짜증나는 표정으로 스마트폰을 호주머니에 넣으며) 게임에서 아웃 됐다고~~ 아우~ 배고파!

팥쥐 엄마 : (뭔가 이해했다는 듯이 표정이 밝아지며) 아~~~!! 그려그려 배고파? ~~ 어서 가서 밥 묵자~~(콩쥐가 들어간 무대 가장자리 쪽을 바라보면서) 콩쥐야~~ 밥상 안 차리고 뭐하냐~~?

이때, 콩쥐가 급히 무대 왼쪽에서 살짝 나온다.
콩쥐 : (급한 목소리로) 어머니 점심상 다 차려 놓았어요. 어서 와서 드세요~~

팥쥐 엄마 : 아이고 배가 등에 딱 붙었다. (팥쥐 쪽을 바라보면서 손으로 재촉하면서) 얼른 가서 밥 묵자!! (먼저 콩쥐 쪽으로 발을 옮기면서 심봉사를 슬쩍 바라보고) 여보! 어서 식사하러 갑시다~~

심봉사 : (밝은 목소리로 엉뚱한 쪽으로 발을 옮기면서) 네~ 어서 들어가서 식사합시다~~
[음향 : 03심봉사 퇴장]

심봉사가 반대편으로 발을 옮기면서 멀어져 가자 콩쥐가 그런 심봉사를 발견하고 재빨리 심봉사에게 다가가서 팔을 부축하면서 다른 쪽으로 인도한다.

팥쥐와 팥쥐 엄마는 이미 무대에서 사라졌고, 콩쥐와 심봉사는 뒤늦게 무대에서 사라진다.

2장 마녀

[음향 : 04마녀등장]

무대가 어두워지고 기괴한 웃음소리와 음악소리가 들려오면서 무대 왼쪽에서 얼굴에 붕대 가면을 쓴 마녀가 요술봉과 손거울을 들고 닥터박, 그리고 거대한 스마트폰처럼 꾸민 등장인물과 함께 등장한다.

마녀 : (느끼한 음성으로) 아주 좋아~ 상쾌해!! 기분 최고야! (닥터박 쪽을 바라보면서 자신 있는 포즈로) 야! 닥터 박~

닥터박 : 네, 사모님~

마녀 : (느끼하게) 나 오늘 드디어 새로운 모습으로 다시 태어나는 거야?

닥터박 : 네, 그렇습니다. 첨단 과학의 힘을 빌어 새로운 모습으로 재탄생 되실 것입니다.

마녀 : (역시 느끼하게) 어서 붕대를 풀어줘. 새로운 나의 뉴페이스를 어서 빨리 만나보고 싶어~

닥터박 : (힘있고 진지한 말투로) 기대하셔도 좋습니다.
[음향 : 05위대한 탄생]

마녀는 관중석에 등을 돌리고 서 있고 닥터박이 마녀의 얼굴에 씌운 붕대 가면을 벗겨 낸다.

마녀 : (여전히 관중석을 등진 채로 손거울을 들여다보며 기쁘고 놀란 말투로) 어모~~~ 이럴 수가~~~

닥터박 : 축하드립니다. 사모... (놀라서 한 손으로 입을 막으며) 헉!!

닥터박이 마녀의 얼굴을 확인하더니 손으로 입을 틀어막고 너무 놀란 표정으로 말을 잇지 못한다.

마녀 : (애써 분노를 참으며 행복한 말투로) 와우~ 정말 다시 태어난 기분이야~~ (관객석 쪽으로 돌아서면서) 나 오늘 완전히 남자로 다시 태어났어~~

[음향 : 06닭소리]

돌아선 마녀의 얼굴은 못 생겼고 콧수염과 턱수염이 덥수룩하게 자라 있다.

마녀 : (손으로 얼굴을 움켜쥐며) 사람 얼굴을 이 모양으로 망쳐놓다니... (끓어오르는 분노를 억누르는 듯이 이를 갈며 떨리는 목소리로) 닥터 바~~악~~!!!

[음향 : 07인생극장]

닥터박 : (겁에 질린 표정으로 두 손을 모아 빌면서 떨리는 듯한 목소리로) 사....사사..사모님~~~ 이게 아닌데 뭔가 잘못이... 사...사사... 살려주십시오.

마녀 : (닥터박을 뚫어지게 쳐다보면서 크게 분노하여 자신의 얼굴을 손가락으로 가리키며) 내 얼굴을 이렇게 만들고도 살아남을 것 같아?

닥터박 : (양손으로 허공에 크게 동그라미를 그리며) 생각보다 워낙 큰 공사라서... 제가 시..시...실수를...

마녀 : (분노가 폭발하여 참을 수 없다는 듯이) 뭐라고? 더 이상 참을 수가 없다! (관객석 쪽을 바라보더니 다시 하늘을 향해 고개를 들고 두 손을 높이 들면서) 내 너를 더러운 개구리로 만들어 주마!!!

무대 조명이 번쩍거리며 번개 소리가 울려 퍼진다.
마녀가 하늘을 향해 두 손을 번쩍 들고 눈을 감은 채로 주문을 외운다.

마녀 : (빠르고 능숙하게) 아리알탕 사리사탕 우거지탕 시래기탕 감자탕 매우매우 매운탕 꼬리꼬리 꼬리곰탕!!!!! (두 손에 힘을 모아 닥터박에게 뿌리며) 개구리로 변해라! 이~~~~얍~~!!!

[음향 : 08폭발소리]

거대한 폭발 소리가 무대에 울려 퍼진다.

닥터박 : (머리를 움켜쥐면서 괴로운 표정으로) 으아~~~~~~악!!!!

[음향 : 09올챙이개구리]

개구리 울음소리가 들리면서 개구리 동요 노래가 울려 퍼진다.

닥터박이 의사 가운을 벗자 초록색 수술복 차림이 드러난다.
뒤에 있던 스마트폰이 닥터박에게 와서 개구리 모자를 씌워주고 간다.
음악에 맞춰 신나게 율동을 한 후 개구리처럼 뛰어서 도망가며 퇴장한다.

마녀 : (가슴을 치면서) 으... 분하다, 분해!! 수술만 잘 되었으면 세상에서 가장 아름다워질 수 있었는데... 저 놈의 돌팔이 닥터박이 모두 다 망쳐 놓았어! (뒤로 돌아서 스마트폰 쪽으로 걸어가면서) 시리!!

스마트폰 : (무표정하게 기계처럼 정면을 바라보면서) 네, 마녀님~~!!

마녀 : 세상에서 제일 아름다운 여인이 누구인지 검색해줘~!!

스마트폰 : 네, 알겠습니다. 세상에서 제일 아름다운 여인으로 검! 색!

[음향 : 10전자 효과음]

복잡한 기계가 작동하는 전자 효과음에 맞춰 스마트폰이 온몸을 요동친다.

마녀 : (안절부절 못하며 재촉하듯이) 결과 나왔어?

스마트폰 : 네, 마녀님.

마녀 : (한껏 섹시한 포즈를 잡으면서) 세상에서 제일 아름다운 여인이 누구야?

스마트폰 : 세상에서 제일 아름다운 여인은....

마녀 : (자세를 고쳐 다른 포즈를 잡으면서) 세상에서 제일 아름다운 여인은~~~?

스마트폰 : 바로.....

마녀 : (자신을 두 손으로 가리키면서) 바로~~~ 나!!

스마트폰 : 땡!! 정답은 뱃! 살! 콩! 쥐! 입니다.

마녀 : (눈이 휘둥그레지며 화를 참지 못하고 바닥을 발로 연속해서 구르며) 또! 또! 또! 또! 그 놈의 뱃살콩쥐!!! (머리를 힘껏 움켜쥐며) 도대체 뱃살 나온 못생긴 콩쥐가 뭐가 아름답다는 거야? 뭐가?

스마트폰 : 뱃살 콩쥐는 몸매나 얼굴이 아름답지는 않지만, 마음이 어느 누구보다도 아름다워서 세상에서 가장 아름다운 여인으로 검색되었습니다.

마녀 : (분노하면서) 엉터리! 엉터리! 넌 엉터리야! (요술봉으로 스마트폰을 때릴 듯 하며) 내 이 고물 폰을 그냥 확~~!!

스마트폰 : (깜짝 놀라서 뒤로 물러나며) 짬까안~~!! (눈치를 보며 살살 웃으면서) 저기 마음 가라앉히시고 냉정하게 생각하세요. 폰 할부기간 아직 12개월 남아 있습니다. (걱정스럽다는 듯 연기하는 표정으로) 지금 폰 바꾸면 42만 3830원을 위약금으로 지불하셔야 합니다. 주인님~

마녀 : (요술봉을 천천히 거둬들이고 다시 관중석 쪽을 바라보면서 진정하며) 에헤헴~~ 그깟 돈이 아까워서 그러는 게 아니야. 좀 솔직해지자구! 요즘 사람들이 마음이 아름다운 사람을 아름답다고 해? 외모가 아름다운 사람들이 얼마나 인기가 좋은데..

나를 봐! 얼마나 아름다워~ 그런데 감히 그 못생긴 콩쥐가 검색 랭킹 1위를 하다니..... 이대로 두고 볼 수 없어!

(무대 한쪽을 바라보면서 급히 손뼉을 짝짝 치며) 미스터 최~~!! 미스터 최~!!!

무대 한쪽에서 미스터 최가 단정한 복장으로 등장한다.
미스터 최 : 네, 사모님~ 부르셨습니까?

마녀 : 밖에 차 대기시켜. 당장 가볼 곳이 있어.

미스터 최 : 넷! 사모님. (한 손 끝을 한쪽 귀에 대면서 무전하듯이) 사모님 나가십니다. 차 대기시키세요!
[음향 : 11꼬마자동차]
마녀는 신이 난 듯이 성큼성큼 걸어서 무대 밖으로 퇴장한다. 그 뒤를 미스터 최가 따라가고 스마트폰이 종종걸음으로 사라진다.

3장 왕자

[음향 : 12파도소리]

파도 소리가 들려오고 무대 한쪽에서 왕자가 즐거운 표정으로 서핑보드를 들고 무대 한가운데로 등장한다.

왕자 : (한 손을 들어 이마에 대고 바다 먼 곳을 바라보면서) 와우~ 오늘은 파도 타기에 좋은 날씨인데!
(관중석 쪽으로 달려 나가 서핑보드를 내려놓고는 그 위에 훌쩍 뛰어 올라타면서) 유~후~!! (손을 좌우로 뻗어서 중심을 잡고 신나게 서핑보드를 타는 듯하면서) 이 정도의 파도는 식은 죽 먹기지. 파도야 어서 와라! 내가 멋있게 넘어 주마!!! 하하하하하하하!

거대한 파도소리가 웅장하게 들려온다. 왕자는 무릎을 굽혔다 폈다를 반복하며 파도를 넘는 시늉을 한다.
[음향 : 13거대한파도]
왕자 : (갑작스러운 큰 파도를 보고 매우 당황하며 몸을 좌우로 흔들면서) 어~~~ 어...어... 으아~~~악!!!!

왕자는 옆으로 쓰러져서 정신을 잃는다.
고요한 시간이 5초 정도 이어지다가 무대 한쪽에서 콩쥐가 한쪽 옆구리에 바구니를 끼고 등장한다.
[음향 : 14갈매기소리]

콩쥐는 바닥 이곳저곳에 손을 뻗어 열심히 조개를 줍는 흉내를 내며 무대 한가운데로 걸어온다. 왕자가 쓰러져 있는 것을 발견하고 깜짝 놀란다.

콩쥐 : (한 손으로 입을 가리며) 어머~ 세상에... (바구니를 팽개치고 왕자에게 빨리 달려가서 왕자의 어깨를 흔들면서) 여보세요~ 여보세요~ 정신 차리세요~

콩쥐가 왕자의 두 손을 잡고 끌어서 무대 중앙으로 옮긴다.
비장한 음악이 흐르고 콩쥐는 왕자에게 심폐소생술을 실시한다.

콩쥐 : (왕자의 가슴을 손으로 누르면서) 하나, 둘, 셋, 넷, 다섯, 여섯, 일곱, 여덟, 아홉, 열 (왕자의 코 가까이에 귀를 대고 소리를 듣는 흉내를 낸 후 다시 왕자의 가슴을 손으로 누르면서) 하나, 둘, 셋, 넷, 다섯....

왕자 : (눈을 감은 채로) 으....

콩쥐 : (왕자의 윗몸을 일으켜 앉히면서) 이제 정신이 좀 드세요?

왕자는 힘없이 콩쥐의 어깨에 기대어 앉아 있다.

왕자 : (살며시 눈을 반쯤 뜨면서) 누... 누구세요?
[음향 : 15알람소리]
이때, 콩쥐 스마트폰의 알람이 울리고 콩쥐는 그 자리에서 벌떡 일어선다. 그 바람에 콩쥐에게 기대어 있던 왕자의 윗몸이 뒤로 넘어간다.

왕자 : (고통스러운 표정으로) 윽!!

콩쥐 : (놀랍고 당황스러운 표정으로) 어머! 어떡해!! 저녁식사 시간이 다 됐네. 엄마가 또 화를 내실 텐데...

콩쥐는 바구니를 주워 황급히 달려 퇴장하려고 하다가 갑자기 신발을 벗어서 무대 중앙으로 던진다.

콩쥐 : (일부러 당황한 척하며) 어머~ 이를 어째~ 갑자기 신발이 벗겨져버렸네~ (잠시 갈등하는 듯하다가 다시 돌아서면서) 시간이 없는데... 안 돼, 어쩔 수 없어!!
[음향 : 14갈매기소리]
콩쥐가 퇴장하자 무대의 다른 쪽에서 마녀와 미스터 최가 등장한다.

마녀 : (지나가다가 쓰러져 있는 왕자를 발견하고는 깜짝 놀라며) 어이쿠... 깜짝이야. 뭐야 이 마네킹은..

미스터 최 : (무덤덤하게 다가가서 이리저리 살펴보며) 파도에 휩쓸려서 정신을 잃었나 봅니다.

마녀 : (귀찮은 듯 손으로 재촉하면서) 야, 귀찮으니까 놔두고 그냥 가. 나 바빠~
미스터 최 : (마녀 쪽으로 빨리 다가오며) 네, 사모님!

마녀와 미스터 최가 돌아서서 무대를 막 벗어나려고 하자, 무대 다른 쪽에서 두 명의 보디가드가 무전기를 들고 등장한다.

보디가드 1 : (먼 곳을 바라보고 두리번거리면서 큰소리로 외치며) 왕자님~~!!
보디가드 2 : (힘든 표정으로) 아니 어디 가셨지?

왕자님이라는 소리에 마녀가 깜짝 놀라며 그 자리에 멈춰 서서 고개를 돌려 보디가드들을 바라본다.
미스터 최도 고개를 돌려 바라본다.

보디가드 1 : (왕자가 쓰러져 있는 것을 발견하고 급히 달려서 왕자에게 다가가며) 왕자님!!
보디가드 2 : (역시 놀라서 왕자에게 다가가며 무전기를 들어서 말하며) 왕자님 발견했다. 왕자님이 쓰러져 계신다. 앰뷸런스 보내. 어서!!! (무전기를 내려놓고 왕자를 흔들어 깨우면서) 왕자님!!!

보디가드 1이 왕자의 윗몸을 일으켜 자신의 어깨에 기대게 한다.

마녀 : (한 손으로 입을 가리며 매우 놀란 표정으로) 어머... 왕자?
왕자 : (살며시 눈을 뜨면서) 으... 여기가 어디냐?
마녀 : (엄청난 속도로 왕자에게 달려가서 왕자의 머리카락을 정리하고 옷을 쓰다듬으면서) 정신이 드셨어요?
보디가드 1 : (마녀를 바라보며) 누구시죠?

마녀 : (태연하게 웃으면서) 아... 제가 조금 전에 여기를 지나가다가 사람이 쓰러져 있길래 그냥 지나칠 수 없어서...
미스터 최가 마녀 옆으로 다가와서 앉아있는 왕자 쪽을 지켜본다.
왕자는 아직 온전히 정신이 돌아오지 못한 듯이 반쯤 뜬 눈으로 주변을 둘러본다.

보디가드 2 : (상황을 깨달았다는 듯이 밝은 표정으로) 아~ 그러면 왕자님을 구해주신 분이시군요.

보디가드 1 : (눈을 동그랗게 뜨고 마녀를 바라보면서) 감사합니다. 덕분에 왕자님이 목숨을 건졌습니다.

마녀 : (흐뭇한 표정으로) 호호호 제가 원래 어려운 사람을 돕는 걸 좋아해서...

미스터 최 : (마녀의 어깨를 두드리면서) 사모님~ 아까 귀찮으니까 그냥 놔두고 가자고...

마녀 : (한 손으로 미스터 최의 입을 막으면서 웃는 얼굴로 보디가드 1,2를 바라보면서) 미스터 최~ 무슨 말이야. 꿈꿨어?

[효과음 : 16왕의등장]

갑자기 웅장한 음악 소리가 들리면서 왕이 신하 1,2를 이끌고 무대로 등장한다.
왕이 왕자 옆으로 다가오자 왕자가 정신을 차리고 자리에서 일어난다.
왕자 주변에 있던 보디가드1,2와 마녀도 자리에서 일어난다.

왕 : (왕자를 바라보면서 걱정스러운 표정을 하며 위엄 있는 목소리로) 왕자~! 왕자! 정신이 드는가?

왕자 : (왕을 바라보고 미안한 표정으로) 네, 아버님 제가 걱정을 끼쳐드렸습니다.

왕 : 큰일 날 뻔하였구나. 너는 이 나라의 왕위를 이어갈 중요한 위치에 있는 사람이다. 함부로 위험한 곳에 혼자 가서는 안 돼.

왕자 : 날씨가 너무 좋아서 그만. 제가 너무 들떠 있었나 봅니다. 다음부터는 조심히 행동하겠습니다.

마녀 : (왕에게 다가서면서) 아.. 말씀 중에 죄송한데, 왕자님이 사경을 헤매고 있을 때, 제가 능수능란한 심폐소생술과 인공호흡으로 살려냈습니다.

왕자가 마녀의 얼굴을 뚫어져라 쳐다보더니 고개를 갸웃거리고 한 손으로 뒷목을 긁는다. 마녀의 얼굴을 가까이 들여다봤다 멀리 들여다봤다 하면서 계속 고개를 갸웃거린다.

왕 : (마녀를 보고 두 눈을 크게 뜨면서) 오... 당신은 내 아들 생명의 은인이시오.

마녀 : (손가락으로 머리카락을 쓰다듬어 귀 뒤로 넘기면서) 아니.. 무슨... 생명의 은인까지는 아니고...

왕 : 그대는 심폐소생술은 어디에서 익히셨소?

마녀 : (부끄러운 듯이) 제 자랑 같아서 말하기는 그렇지만, 초등학교 다닐 때 제가 심폐소생술 제일 잘하는 학생으로 뽑혀서 상도 받고 그랬습니다~

왕 : 그대가 익혀놓은 그 기술이 오늘 이 나라를 구했구나. 너에게 큰 상을 내리도록 하겠다.

마녀 : 호호호~ 근데 상은 필요 없고 왕자님과 데이트 한 번만...

왕 : (마녀의 말을 중간에 자르며 신하 1,2를 바라보며) 여봐라~!!

신하 1,2 : 네~ 폐하~!!

왕 : 오늘은 기쁜 날이다. 왕궁에서 성대한 파티를 열 테니, 온 백성들을 초대하여 먹고 마시고 춤추게 하여라!

신하 1 : 분부대로 하겠나이다. 폐하~!!

신하1,2, 보디가드1,2 : 분부대로 하겠나이다. 폐하~!!

왕 : 어서 모두들 왕궁으로 가자~!!!
[음향 : 17왕의퇴장]
무대에 있던 모든 사람들이 무대 한쪽으로 사라진다.
마녀와 미스터 최가 제일 뒤에 따라간다.

마녀 : (왕의 뒤를 따라가며) 그러니까 임금님~~ 왕자랑 데이트는....어떻게....안될까요?

모두 무대에서 사라진 후 왕자가 다시 무대로 등장해서 신발을 줍는다.

신발을 뚫어지게 쳐다보면서 무대의 중앙으로 걸어 나온 왕자는 잠시 생각에 잠겼다가 관객석을 바라보고 무언가 생각이 난 듯한 표정으로 다시 무대에서 빨리 사라진다.

4장 개구리

[음향 : 18파티준비]
무대 한쪽에서 물동이로 분장한 등장인물이 무대 중앙 뒤쪽에 자리하고 가만히 있다.
무대 한쪽에서 팥쥐와 팥쥐 엄마가 해맑은 웃음을 머금고 등장한다. 둘 다 머리에 예쁜 장식을 하고 예쁜 옷을 입고 있다.

팥쥐 : (팥쥐 엄마 앞에서 멋지게 한 바퀴 돌아 보이며) 엄마, 나 어때?

팥쥐 엄마 : (팥쥐의 두 볼을 손가락으로 살짝 꼬집으면서) 이쁘지~ 누구 딸인데 안 이쁠까?
[음향 : 19웃음소리]
팥쥐, 팥쥐 엄마 : 하하하하

팥쥐 : (스마트폰을 꺼내 시간을 확인하며) 엄마, 우리 파티에 늦었다. 얼른 가자.

팥쥐 엄마 : 그래 어서 가자~~!!

콩쥐가 무대로 재빨리 등장한다.

콩쥐 : 어머님~ 어디 가세요?

팥쥐 엄마 : (귀찮은 표정으로 뒤를 돌아보며) 파티장에 간다. 왜?

콩쥐 : 네? 파티장에요? 저도 가고 싶은데...

팥쥐 : 네가 어딜 가? 옷도 없고 못생긴 게~~

콩쥐는 팥쥐의 말에 고개를 떨구고 아무 말을 하지 못한다.

팥쥐 엄마 : (갑자기 장난기 어린 미소를 머금고) 아니야, 콩쥐 너도 파티장에 와도 돼.

콩쥐 : 네? 정말요?

팥쥐 엄마 : (콩쥐의 말이 끝나기도 전에 큰소리로) 단!!! (다시 차분한 말투로 상냥하게 물동이를 가리키며) 콩쥐 너는 저기 물동이에 물을 가득 받아놓은 다음에 따라와~ 그 정도는 할 수 있지?

콩쥐 : (기쁜 목소리로) 네, 어머님~ 할 수 있어요.

팥쥐 엄마 : (음흉하게 웃으면서) 대신에 물동이에 물이 흘러넘칠 정도로 가득 받아놓아야 해. (한쪽 주먹을 들어 때리는 흉내를 내며) 안 그랬다간 집에 와서 확!!

콩쥐는 무서워서 얼굴을 숙이고 두 손을 올려 방어자세를 취한다.

팥쥐 : (엄마를 흉내 내듯이 콩쥐에게 다가가서 발로 차는 시늉을 하며) 안 그랬다간 화악~~!! 하하하하하
[음향 : 19웃음소리]

역시 팥쥐의 발길질이 무서워서 콩쥐는 그 자리에 주저앉는다.

팥쥐 엄마 : (콩쥐를 쏘아보며) 알아들었지? (팥쥐를 보며) 하하하하하 팥쥐야 얼른 가자~~

팥쥐 : (밝은 표정으로 즐겁게) 네~~ 엄마~!!

팥쥐와 팥쥐 엄마가 무대에서 사라지고 콩쥐는 고개를 들어 팥쥐와 팥쥐 엄마가 사라진 쪽을 확인한다.
[음향 : 20불쌍한 콩쥐]

콩쥐는 물동이 옆에 있는 양동이를 들고 무대 한쪽으로 달려가서 물을 퍼오는 흉내를 내고 다시 물동이로 달려가서 물을 부어 넣는 흉내를 낸다.
콩쥐는 3번 정도 이렇게 반복하다 지쳐서 주저앉는다.

콩쥐 : (힘든 표정을 지으면서) 어휴 힘들어. 왜 물동이에 물이 차지 않지?

물동이 : (콩쥐의 행동이 웃기다는 듯이) 으흐흐 바보~!!

콩쥐 : (물동이 쪽을 바라보면서) 응? 내가 왜 바보야?

물동이 : 난 몸에 구멍이 나서 물을 담을 수 없는 몸인데, 넌 계속 물을 붓고 있잖아.

콩쥐 : 그게 무슨 말이야? (벌떡 일어나서 물동이 쪽으로 가서 아래쪽을 살피다가 절망하듯이 털썩 주저앉으며, 손으로 눈물을 훔치면서 울먹이는 목소리로) 아, 그랬구나. 물동이에 구멍이 나 있었어. 그런 줄도 모르고... 파티장에 가기는 다 틀렸어. 태어나서 처음으로 파티장에 꼭 가보고 싶었는데.... (울먹이는 목소리로 손으로 눈물을 훔치며) 흐흑 난 어떡해~~~

이때, 무대 한쪽에서 개구리(닥터 박)가 펄쩍펄쩍 뛰면서 등장한다.

개구리 : (펄쩍펄쩍 뛰면서 콩쥐에게 다가가며) 저...혹시 콩쥐님이세요?

콩쥐 : 어?? 개구리가 말을 하네~

개구리 : 네, 저는 개구리가 아니라 사람입니다.

콩쥐 : 네가 사람이라고?

개구리 : (울먹이 듯이) 못된 마녀가 저를 개구리로 만들어 버렸답니다.

콩쥐 : 저런저런... 어떻게 그런 일이....

개구리 : 콩쥐님~ 제가 쭉 지켜보고 있었는데, 제 힘으로 콩쥐님을 도와 드릴 수 있을 것 같아요.
(물동이 쪽을 가리키며) 제가 물동이에 들어가서 구멍 난 부분을 막고 있을 테니 물을 부어서 채우세요.

콩쥐 : 정말 그렇게 해줄 수 있겠니?

개구리 : 네~ 그럼요. 제가 콩쥐님을 도울 수 있어서 기뻐요. 걱정 말고 어서 물을 채워 넣으세요.
[음향 : 21일하자]

개구리는 물동이 뒤쪽으로 돌아가서 모습을 감춘다. 콩쥐는 양동이를 들고 물을 채워 넣는 흉내를 낸다.

콩쥐 : (이마에 땀을 닦는 시늉을 하며 밝은 표정으로) 다 됐다. 이제 파티에 가야지. (갑자기 실망스러운 얼굴로 바뀌더니) 그런데 뭘 입고 가지? 이 옷을 입고 가면 창피할 텐데... (다시 결심이 선 듯) 아니야, 내 모습이 어때서... 사람은 겉모습이 중요한 게 아니야. 마음가짐이 중요해.

콩쥐가 자리를 뜨려고 하자 무대 한쪽에서 마녀가 과일바구니를 들고 등장한다.

마녀 : 콩쥐야, 콩쥐야~

콩쥐 : 누... 누구세요?

마녀 : 응. 나는 지나가던 마녀! (말실수에 당황하며) 아니 요.. 요정인데, 네가 나를 필요로 할 것 같아서 이렇게 찾아왔단다.

콩쥐 : 네? 요정님이라구요?

마녀 : (콩쥐 앞에서 멋지게 한 바퀴 돌면서) 그래~ 그냥 봐도 요정같이 생겼잖아.

콩쥐 : (고개를 갸웃거리더니 볼을 꼬집으면서) 내가 꿈을 꾸고 있는 건가? 개구리가 말을 하더니 이번에는 요정님이 나타나셨어.

마녀 : (인상을 찌뿌리며) 개... 개구리?

콩쥐 : (신경 쓸 필요 없다는 듯이 얼버무리며) 아... 아니에요. 꿈 속에서...

마녀 : 파티에 참석하려는데 옷이 없어서 고민이지? (콩쥐의 옷을 손가락으로 살짝 잡으며) 지금 그 옷차림으로는 (검지손가락을 세워 콩쥐의 눈앞에서 좌우로 흔들며) 안 되지 안 돼~

(바구니에 손을 넣어 뒤지는 듯하며) 어디 보자~~~(바구니에서 사과를 내밀면서) 자! 이 사과를 한 번 먹어봐. 그러면 넌 정말 아름다운 모습으로 변할 수 있어.

콩쥐 : 와~ 정말요? 안 그래도 제가 너무 초라해서 고민이었는데, 고맙습니다. 요정님~ (사과를 받아 들면서 요정을 바라보며) 그런데 혹시 여기에 독 탔어요?

마녀 : (당황해하며) 무..무슨 말이니 사과에 왜 독을 타~!!

콩쥐 : (고개를 갸웃거리다가 마녀를 바라보고 웃으면서) 동화책을 읽어보면 그러던데요.

마녀 : 애는 참~~! (콩쥐가 들고 있는 사과의 한쪽을 가리키며) 이 사과를 잘 봐봐. 실과시간에 배웠지? 농림축산 식품부에서 인증한 유기농 인증 마크가 떡하니 있잖아. 요정을 뭘로 보고....

(팔짱을 끼고 토라진 듯이 돌아서며) 실망이다 애!

콩쥐 : (사과를 한번 들여다 보더니 표정이 환해지며) 어.. 정말이네~ 믿을 수 있는 음식이구나~

콩쥐가 사과를 한입 깨물어 먹는다.

[음향 : 22사과 먹는 소리]

콩쥐 : (갑자기 두 손으로 목을 감싸 쥐면서 괴로운 표정으로) 으... 이 사과는.... (무릎을 꿇고 쓰러지면서) 여..역시... 독...사...과...

콩쥐가 그 자리에서 쓰러진다.

마녀 : (콩쥐가 쓰러지는 모습을 보고 매우 기뻐하면서) 아하하하하하 (관중석 쪽으로 다가가며 팔을 크게 벌리고) 드디어 이루었다. 드디어 이루었어. 콩쥐는 죽었다!! 이제 이 세상에서 제일 아름다운 여인은 바로 나다! 아하하하하하

[음향 : 23콩쥐의 죽음]

마녀가 미친 듯이 웃으면서 무대에서 사라진다.

마녀가 사라지자 물동이 뒤쪽에 있던 개구리가 놀란 표정으로 콩쥐에게 재빨리 다가온다.

개구리 : (쓰러져 있는 콩쥐를 바라보고 몸을 움츠리면서) 세상에! 마녀가 무슨 짓을 한 거야~

[음향 : 24Atime4us]

개구리 : (콩쥐의 윗몸을 일으켜 앉히면서) 오.. 콩쥐!! 죽음도 당신의 아름다움을 앗아가지 못했구려~
(결심한 듯이 자기 입술에 손을 살포시 만지고) 오.. 입술아... 오, 숨결이 넘나드는 문이여... 내 입맞춤으로... 영원한 계약을 맺으리라~
(한 손으로 입을 닦아내 듯이 쓸어내고 입을 길게 뽑으며 콩쥐의 입에 뽀뽀하려는 듯이) 우~~~~

개구리는 콩쥐의 입에 입맞춤하려고 한다.
[음향 : 25스크래치]

콩쥐 : (갑자기 눈을 뜨고 개구리의 입을 여러 번 때리며) 깼어. 깼어. 깼다구~!!!
개구리 : (깜짝 놀라서 물러나며 입을 움켜쥐고는) 어.. 콩쥐야~
콩쥐 : (손에 있는 사과를 보여주면서) 모르는 사람이 주는 음식을 내가 함부로 먹겠니? 그냥 먹는 척만 했지.
개구리 : (엄지손가락을 들어 보이며) 와~~역시 콩쥐다! 마녀가 완전히 속았어. (관객석 쪽을 바라보면서 큰 소리로) 여러분~ 알았죠? 여러분도 모르는 사람이 주는 간식이나 음식은 아무거나 먹으면 안 돼요~~

콩쥐와 개구리는 관객석의 반응을 살펴보고 관객석의 호응과 함께 고개를 끄덕인다.

콩쥐 : (다시 개구리를 바라보며 허리춤에 두 손을 얹고 따지는 듯한 표정으로) 그런데... 너 혹시.. 방금 나한테 뽀뽀하려고 한 거야?
개구리 : (당황스러운 표정으로 갑자기 물동이 쪽을 손가락으로 가리키며) 앗, 저.. 저기 물 샌다. 콩쥐야, 나는 다시 가서 물동이를 막고 있을 테니 너는 어서 파티장으로 가! 어서!!

콩쥐 : (두 손을 마주쳐 소리를 내며) 아참! 파티장에 늦었다. 얼른 가야겠어.
[음향 : 26 파티출발]

콩쥐가 무대 한쪽으로 급히 사라진다. 개구리와 물동이도 무대에서 사라진다.

6장 무도회

[음향 : 27 나는나비]

'나는 나비' 노래가 흘러나오면서 무대에 손님1,2,3,4...가 나와서 플래시몹 댄스를 신나게 춘다. 왕자, 팥쥐, 팥쥐 엄마, 심봉사는 무대 뒤에서 이 모습을 지켜보며 신나게 박수를 치고 있다.

왕이 흐뭇한 표정으로 고개를 끄덕이면서 등장하고, 그 뒤로 보디가드1,2, 신하 1,2가 차례로 등장한다.

댄스를 마치자 모두 무대 뒤쪽으로 자리하고 왕이 손뼉을 치면서 무대 중앙 관중석 쪽으로 걸어 나온다.

왕 : (흐뭇한 표정으로 박수를 치면서) 훌륭해, 훌륭해~~ 아주 훌륭해~~
(팔을 앞으로 넓게 뻗어 관중석을 두루 가리키면서) 오늘 파티에 이렇게 많은 백성들이 참여해줘서 정말 고맙소~ 하하하. (두 손을 뻗어 크게 휘두르면서) 모두 이곳에서 기쁜 마음으로 마음껏 즐기시오.

무대에 있는 사람들 모두 환호성과 함께 힘차게 박수를 친다.

왕 : (왕자 쪽을 손으로 가리키며) 왕자! 이리 오시오.

왕자 : (왕이 있는 쪽으로 다가가며) 네, 아버님~

왕 : (한 손으로 관중석 쪽을 두루 가리키며) 오늘 여기 모인 백성들 중에 함께 춤을 추고 싶은 사람을 골라 보거라.

왕자 : (누군가를 찾는 듯이 진지한 표정으로 관객석 쪽을 쭉 훑어보더니 조금은 실망한 표정으로 왕을 바라보며) 아버지, 이곳에는 제가 춤을 추고 싶은 사람이 없습니다.

왕 : (갑자기 인상을 찌푸리며) 아니, 이렇게 많은 사람들 중에 함께 춤을 추고 싶은 사람이 없다니, 어찌 된 일이냐?

왕자 : (관객석 쪽으로 한 발 나서서) 지난번에 제가 쓰러졌을 때, 저의 목숨을 구해준 여인과 춤을 추고 싶습니다. (관객석 쪽을 한 손으로 가리키며) 지금 여기에는 그 여인이 없습니다.

왕 : (표정이 밝아지면서) 내 이럴 줄 알았다. (신하 1,2쪽을 바라보면서) 여봐라! 어서 그 여인을 들라 하라!

신하 1,2 : 네! 폐하!
[음향 : 28마녀입장]
음산한 음악과 함께 신하 1,2가 무대에서 잠시 사라졌다가 마녀와 함께 나타난다. 그 뒤로 미스터 최가 함께 등장한다.

마녀 : (왕의 앞에 다가가며) 부르셨습니까? 폐하~!!

왕 : (웃음 띤 얼굴로 반갑게 맞으며) 어서 오시오. 왕자가 그대를 찾고 있소!!

마녀 : (왕자 쪽으로 다가가서) 호호호 왕자님~ 제가 그렇게 보고 싶으셨습니까? (왕자의 손을 잡으며) 어서 와서 저랑 춤을 추시지요.

왕자 : (마녀의 손을 뿌리치며) 이 손 놓으시오!

마녀가 흠칫 놀란다.

무대에 있는 모든 사람들 : (서로 웅성거리며 왕자의 눈치를 보면서 중얼거리듯이) 세상에~~ 무슨 일이야? 왕자가 왜 저러는 거야? 아니 왜 저러는 거야?

왕 : (매우 놀란 표정으로) 아니, 왕자! 이게 무슨 짓이냐!!

왕자 : (마녀를 손가락으로 가리키면서) 저를 구해준 사람은 이 자가 아닙니다.

마녀 : (손으로 입을 가리며 놀란 표정으로) 왕자님~~

왕 : (분노하여) 왕자! 어서 사과하거라! 너의 목숨을 구해준 사람에게 그 무슨 짓이냐!!

왕자 : (다시 마녀를 손가락으로 찌르듯이 가리키면서) 저 자는 바로 마녀입니다!!

마녀 : (왕에게 애원하듯이 울먹이며) 폐하, 이건 너무 하옵니다. 왕자가 어찌 저에게...

왕 : 이런 배은망덕한 놈을 봤나!! 목숨을 살려준 자에게 마녀라니!!

왕자 : (강한 목소리로) 저를 구해준 여인의 얼굴을 똑똑히 기억합니다. (다시 마녀에게 손가락질을 하며)저 자는 저를 구해준 자가 아닙니다.

왕 : (두 주먹을 불끈 쥐고 화가 나서 어찌할 바를 모르며) 이런.... 나쁜 녀석을 봤나! (신하 1,2를 보며) 여봐라!! 은혜를 모르는 저 놈을 당장!!! (갑자기 가슴을 움켜쥐면서 고통스러운 표정으로) 윽!! 아~~~

왕이 그 자리에서 정신을 잃고 힘없이 쓰러진다.

무대의 모든 사람들 : (깜짝 놀란 표정으로 왕 쪽을 바라보며 웅성거리면서) 아니, 무슨 일이야, 왕이 쓰러졌어. 이게 무슨 일이야! 어찌 된 거야!

왕자 : (왕에게 달려가며) 아버지!!

신하 1,2, 보디가드 1,2 : (왕 쪽으로 신속히 다가가며) 폐하!!!

왕자와 신하1,2, 보디가드 1,2가 왕을 살핀다. 왕자는 앉아서 왕의 상체를 들어서 자신의 몸에 기대어 앉힌다.

왕자 : (왕을 흔들어 깨우며) 아버지!! 아버지!!

신하 1 : (뭔가 생각이 난 것처럼 눈이 동그래지며) 아! 심폐소생술!! (고개를 돌려 마녀를 찾으며) 그분 어디 있나! 왕자를 살리셨던 분!!

마녀가 눈치를 보다가 몰래 도망가려고 한다. 이 때 미스터 최가 마녀에게 다가가서 막아선다.

미스터 최 : (밝은 표정으로 손을 번쩍 들면서) 여기 있습니다. 왕자를 살리셨던 분!!

마녀는 미스터 최를 한심하다는 듯이 눈으로 흘겨본다.

보디가드 1,2가 마녀를 부축하고 왕의 앞으로 데려간다. 마녀는 힘없이 끌려간다.
[음향 : 29마녀당황]
미스터 최는 마녀 뒤를 따라가며 마녀 등 뒤에 대고 두 손으로 엄지손가락을 세워 응원하는 듯한 몸동작을 취한다.

신하 2 : (마녀를 바라보면서 급한 목소리로) 폐하께서 쓰러지셨으니 119가 오기 전까지 어서 심폐소생술을 부탁하오.

마녀 : (당황스러운 표정으로 어찌할 바를 모르고 눈길을 피하면서) 저... 저는 그러니까... 저기...

신하 2 : 뭐하시오! 시간이 급하오!

마녀 : (매우 당황스러워 하면서 고개를 푹 숙이고 부끄러운 듯 혼잣말처럼 중얼거리며) 저는 심폐소생술을 못해요.

신하 2 : 그 무슨 말이요. 심폐소생술을 못하다니!

무대에 있는 모든 사람들 : (마녀를 보면서 놀란 얼굴로 웅성거리며) 뭐야~~ 심폐소생술로 왕자를 살렸다면서~ 엉터리네~ 거짓말한 거야?

이 때, 무대 한쪽에서 콩쥐가 등장한다.

콩쥐 : (왕에게 달려가면서) 모두 비키세요. 제가 하겠습니다!!

왕 주변에 있던 사람들이 모두 비켜나고 콩쥐가 왕에게 심폐소생술을 실시한다.
사람들은 진지한 표정으로 이 모습을 지켜본다. 팥쥐와 팥쥐 엄마는 못마땅한 얼굴로 쳐다보면서 서로 콩쥐를 헐뜯는 표정을 한다.

콩쥐 : (왕의 가슴에 두 손을 모아 누르면서) 하나, 둘, 셋, 넷, 다섯, 여섯, 일곱, 여덟, 아홉, 열 (왕의 코앞에 귀를 대고 소리를 들어보더니 다시 누르면서) 하나, 둘, 셋, 넷, 다섯, 여섯, 일곱, 여덟....

왕 : (벌떡 일어나면서) 콜록 콜록 콜록!! (호흡을 거칠게 하면서) 후, 후, 후 (주변을 살펴보며) 이게 무슨 일이냐?

콩쥐가 살짝 옆으로 비켜나고 신하1,2가 왕에게 다가간다. 마녀는 사람들 뒤에 조용히 숨어서 눈치만 본다.

신하1 : 폐하!! 괜찮으십니까?
신하2 : 조금 전에 갑자기 정신을 잃으셨습니다.
왕 : (약간 힘들어하며) 난, 이제 괜찮다~

신하1 : (콩쥐를 가리키면서) 큰일 날 뻔했습니다. 다행히 이분이 심폐소생술로 폐하를 살리셨습니다.
폐하 : (고개를 들어서 콩쥐 쪽을 보더니) 뭐라고?? 이 여인이??
왕자 : (왕 앞으로 다가가 무릎을 꿇으면서) 아버지, 바로 이분입니다. 저의 목숨을 살려 주셨던 분...
왕 : (콩쥐를 바라보면서) 그 말이 정말이더냐?

왕자 : (보디가드 1,2를 보면서) 가져오거라!!
보디가드 1,2 : (왕자에게 고개를 숙이며) 네!!

왕이 신하의 부축을 받고 자리에서 일어난다.
보디가드1이 무대 가장자리에 있던 신발 한 짝을 들고 온다.
보디가드1에게 신발을 받아 든 왕자는 콩쥐에게로 다가간다.
콩쥐는 왕자가 다가오자 자리에서 일어선다.

왕자 : (콩쥐에게 다가가서) 아름다운 여인이여~ 발을 내밀어 주시오.

콩쥐는 부끄러운 듯 고개를 돌리며 발 하나를 내민다.
신발을 신겨 본 왕자는 기쁜 표정으로 벌떡 일어선다. 모두가 이 모습을 진지하게 지켜본다.

무대의 모든 사람들 : (놀란 표정으로 웅성거리며) 야! 딱 맞아. 신발이 딱 맞았어. 저 사람이 맞나봐~ 그런가봐~

팥쥐와 팥쥐 엄마는 콩쥐에게 눈을 흘기면서 기분 나쁜 듯이 가슴을 치고 발을 동동 구른다.

팥쥐는 팥쥐 엄마에게 짜증을 내는 듯한 몸짓을 보인다.
마녀도 사람들 뒤에 숨어서 질투하는 눈빛으로 쳐다보고 있다.

왕자 : (콩쥐의 두 눈을 바라보고 손을 잡으면서) 내가 얼마나 당신을 찾아 헤맸는지 아시오? 바로 당신이었어. 콩쥐! 내 목숨을 구한 사람!!
콩쥐 : (수줍어서 숙였던 고개를 들어 왕자를 바라보면서) 그때 그분이 왕자님이셨군요.
왕자 : (콩쥐를 바라보고 두 손을 꼭 잡으며) 콩쥐!!
콩쥐 : (왕자를 바라보며) 왕자님~!!
[음향 : 30Marryme]
왕 : (앞으로 나서면서) 어허... 눈치가 없구나!!! 여봐라!! 뭣들 하느냐? 어서 음악을 연주하거라! 오늘을 매년 축제의 날로 정하여 영원히 기념하도록 하라~~!! 하하하

[음향 : 31붐바스틱]
신나는 댄스 음악과 함께 무대의 모든 사람들이 춤을 춘다. 왕자와 콩쥐도 같이 춤을 춘다.
음악이 잦아들면서 무대 한쪽에서 개구리가 팔짝팔짝 뛰어나온다. 무대 위의 사람들은 계속 춤을 춘다.

개구리 : 아름다운 마음씨를 가진 뱃살콩쥐, 심콩쥐는 왕자와 결혼을 하였고 서로 아껴주며 행복하게 오~래오래 살았다고 합니다. 심콩 이야기 끄읕~~~!!

음악이 다시 커지면서 무대 위의 모든 사람들이 춤을 추면서 줄을 지어 퇴장한다.